Pwy Sy'n Euog?

PWY SY'N EUOG?

Joan Lingard

Addasiad John Rowlands

Gwasg Gomer
2003

Argraffiad cyntaf – 1988
Ad-argraffiadau – 1991, 1993, 1996, 2003

ISBN 0 86383 493 0

© Joan Lingard, 1986 ⓗ

Teitl gwreiddiol: *The Guilty Party*

ⓗy testun Cymraeg: John Rowlands, 1988 ©

Cyhoeddwyd gyntaf yn 1987 gan
Hamish Hamilton Children's Books, 27 Wrights Lane, Llundain W8 5TZ.

Cefnogir yr argraffiad hwn gan
ACCAC a CBAC

Argraffwyd gan
Wasg Gomer, Llandysul, Ceredigion

PENNOD 1

Tybed a oedd ganddyn nhw ddigon o bâst?

'Na, dwi'n meddwl byddwn ni'n iawn,' meddai Josie, gan edrych i mewn i'r bag plastig a oedd yn cario'r pot. 'Dim ond hanner dwsin arall s'gynnon ni.'

'Ydan ni ddim wedi gneud digon?' gofynnodd Emma, a oedd â chur pen a dolur gwddw hyd yn oed cyn iddyn nhw gychwyn allan. Doedd yr awr ddiwethaf ddim wedi helpu'r cur pen o gwbl: roedd ei nerfau'n rhacs ar ôl bod yn crwydro o gwmpas y dre, gan drio edrych yn *nonchalant* fel y dywedai Josie, gan siarad yn frwd efo'i gilydd pryd bynnag y gwelent—neu y dychmygent weld—plisman. Roedden nhw wedi dewis eu targedi ymlaen llaw, ac yn gwybod i'r dim pa strydoedd roedden nhw'n anelu amdanynt, ac yna, pan nad oedd 'na neb o gwmpas—neu fawr neb—roedden nhw wedi gweithredu ar frys.

'Mae'n rhaid inni orffen y gwaith.' Roedd Josie'n dadrowlio'r poster nesaf. Estynnodd y bag plastig i Emma.

Aeth Emma yn ei blaen. Wrth iddi ddod at ymyl bwrdd hysbysebu ar y chwith, tynnodd frws o'r bag a'i drochi yn y pot gliw; yna, heb arafu'i cham, fe drawodd linellau llydain ar draws yr hysbysfwrdd. Wrth ei dilyn, gosododd Josie y poster ar ben y gliw, ac oedi am funud i lyfnhau'r rhychau.

'Brysia!' gwaeddodd Emma, a oedd wedi mynd cyn belled â'r gornel lle'r oedd yn sefyll i wylio.

'Rhaid imi ofalu'i fod o'n sticio.' Cododd Josie ei phen i edmygu'i gwaith da. 'Nefoedd, mae 'nwylo fi mewn coblyn o stad! A 'mreichia fi! Mi fydd Mam yn 'y mwrdro fi pan welith hi'r gôt 'ma,' meddai, gan bwysleisio'i hacen Wyddelig.

'Car yn dŵad!' gwaeddodd Emma.

Ymlwybrodd Josie i ymuno â hi.

'Noson braf, on'd ydi?' meddai. 'Ne mi fasa hi 'tasa 'na lai o wynt.' Deuai'r car yn nes. Roedd golau glas ar ei do.

'Polîs,' meddai Emma, yn ddiangen, gan godi'i hysgwyddau er mwyn rheoli'i chryndod.

'Dau gi bach yn mynd i'r coed,' meddai Josie, 'Cyffion caled am bob troed . . .'

Roedd car y polîs wrth eu hochrau. Symudai'n hamddenol, fel petai dim brys o gwbl. Neu roedd yn eu dilyn nhw. Edrychodd y merched yn syth ymlaen.

'Dau gi bach yn dŵad adre, Heb ddim cyffion am eu bodie.'

Roedd y car wedi mynd heibio erbyn hyn, ac yn troi'r gornel i'r stryd nesaf.

'Mi ddylen ni roi'r gora iddi am heno,' meddai Emma. 'Dwi'n siŵr 'mod i'n cael y ffliw.'

'Dos di adre, Em, ac i dy wely.'

'Wyt ti ddim am neud mwy, wyt ti?'

'Falla gosoda i ambell un i fyny ar y ffordd yn ôl.'

'Bydd yn ofalus,' rhybuddiodd Emma.

'Wrth gwrs,' meddai Josie, ac aeth y ddwy i'w ffyrdd eu hunain.

Cerddodd Josie yn araf adre—neu o leiaf yn ôl i'r lle'r oedd hi'n byw ar hyn o bryd, oherwydd fuasai hi ddim yn ei alw'n gartref chwaith—gan gadw llygad barcud ar y stryd o'i blaen. Doedd fawr neb o gwmpas, er mai newydd droi deg oedd hi; yn y dre fach yma yn Lloegr doedd byth ryw lawer o bobl allan ar fin nos yn niwedd Medi. Roedd yr ymwelwyr haf wedi gwasgaru fel dail yn

6

y gwynt yn ôl i'w tyllau yn y dinasoedd ac roedd trigolion y dre fel petaen nhw'n diflannu i'w gwlâu ar ôl y newyddion naw. Ond deryn y nos oedd hi wrth natur, yn mwynhau bod yn effro pan fyddai pobl eraill yn cysgu.

Dim ond am dri mis y bu hi'n byw yn y dre, er ei bod yn ei nabod yn dda ar ôl treulio gwyliau yma dros y blynyddoedd, os gwyliau y byddech chi'n galw'r ymweliadau a wnâi ei rhieni â'u perthnasau—fwy o ran dyletswydd na dim arall. Ond roedd gwyliau'n wahanol i fyw o ddydd i ddydd, a doedd hi ddim eto wedi dygymod yn iawn â'r newid tempo ar ôl byw ym Melfast. Roedd 'na nifer o bethau nad oedd hi ddim wedi dod i arfer â nhw'n iawn eto, a dyfalai weithiau a ddôi i arfer â nhw byth.

Gwelodd dalcen adeilad delfrydol yn dod i'r golwg. Wal siop gornel lle byddai pobl yn mynd ac yn dod, a hyd yn oed yn aros am sgwrs. Ac wrth aros, efallai'n edrych i fyny ac yn sylwi ar y poster. Asiaid oedd biau'r siop. Roedd Khalil, mab y perchennog, yn ei dosbarth hi ac yn cydymdeimlo â'r achos.

Ar ôl edrychiad sydyn o gwmpas gwelodd fod y stryd yn wag. Gweithiodd yn gyflym, ond yn ofalus, gan ddilyn y camau arferol. Plastro'r wal efo gliw, agor y poster, ei godi . . . Fel roedd hi ar fin ei osod ar y wal, clywodd sŵn car. Trodd. Roedd fflamau'r goleuadau'n dallu'i llygaid.

*   *   *   *

'Ydi Josie i mewn?' gofynnodd Rod, gan sefyll wrth droed y grisiau gyda modryb Josie, Mrs Oswald, wrth ei sodlau. Hi oedd wedi agor y drws iddo ddod i mewn. Gwisgai ŵn nos binc, streipiog ac roedd ei gwallt fel cwch gwenyn yn ei roliau sbwng pinc. Dechreuodd ymddiheuro am darfu arni mor hwyr, ond rhoddodd hi daw arno, gan ddweud,

'Taw â sôn, fachgen. Doeddwn i ddim yn 'y ngwely eto.' Roedd hi'n ei hoffi, yn ôl Josie; roedd hi'n meddwl ei fod yn dod o deulu 'neis'.

Roedd mam Josie—Mrs McCullough—hanner y ffordd i lawr y grisiau: mae'n rhaid ei bod hithau wedi clywed y gloch. 'Roeddwn i'n meddwl ei bod hi wedi mynd i gyfarfod â chdi, Rod. Mi adawodd fan hyn am wyth.'

'Roeddwn i fod i'w chyfarfod hi yn y Llew Coch am ddeg.'

'Am ddeg?' meddai Mrs Oswald. 'Mae hi'n hanner awr wedi un ar ddeg rŵan.'

'Lle gall hi fod?' gofynnodd Mrs McCullough. Swniai'n bryderus.

'Nodweddiadol, yntê?' meddai Mrs Oswald. 'Dydi hi'n cysidro neb, yr hogan yna. Mwy na thebyg ei bod hi'n malu awyr ar gongl rhyw stryd.'

'Ddim 'radeg *yma* o'r nos,' meddai Mrs McCullough.

'Mi ddylai fod ganddi gywilydd dy boeni di ar ôl be'r wyt ti wedi'i ddiodda. Ar ôl be 'dan ni i *gyd* wedi'i ddiodda.'

'O Dduw, beth petai 'na rwbath wedi digwydd iddi?'

'Paid â chynhyrfu, Rona bach. Does dim wedi digwydd.'

'Ond *mae* 'na betha'n digwydd.'

'Nid fan hyn, Rona. Tre dawel ydi hon. Nid Belfast ydi fan'ma, cofia.'

'Diolch i Dduw am hynny,' meddai Mr Oswald, a oedd newydd ymddangos yn y lobi. Roedd yntau yn ei ŵn nos, efo'i sgwariau brown a choch, a slipars efo patrwm tebyg. 'Be sy'n mynd ymlaen yma?' gofynnodd.

'Poeni am Josie ydan ni,' meddai ei wraig. 'Roedd hi wedi addo cyfarfod Rod, ond chadwodd hi mo'i gair—'

Torrodd Rod ar ei thraws gan awgrymu y dylen nhw ffônio Emma, i edrych wyddai hi lle'r oedd Josie.

Teimlai Mrs Oswald ei bod hi'n llawer rhy hwyr i ffônio tŷ doctor, os nad oedd hi'n argyfwng. 'Mi fydd gweithwyr caled fel nhw yn eu gwlâu ers oriau.' Ond roedd Mrs McCullough yn dweud bod raid iddyn nhw ffônio. Be arall allen nhw'i wneud? Allai hi ddim sefyll ac aros yn fan'no am hydoedd. Cofiai'r noson pan fu'n aros i dad Josie ddod adre . . .

'Dyna ti rŵan, Rona.' Rhoddodd Mr Oswald ei law ar ei hysgwydd i'w chysuro. 'Paid â dechra hel meddylia. Pam na wnei di gwpanaid fach o de iddi, Glad?'

Edrychai ei wraig fel petai'n anfodlon mynd i'r gegin gefn, ond fe aeth, gan adael y drws yn llydan agored rhag ofn iddi golli dim. Roedd Josie wedi dweud wrth Rod ei bod hi'n syndod nad oedd ei thrwyn hir busneslyd wedi'i ddal yn y drws cyn hyn; roedd ei Modryb Gladys yn hanner chwaer i'w thad, a doedd hi erioed wedi gweld dau berthynas mor wahanol i'w gilydd.

'Wnei di ffônio, Rod?' gofynnodd Mrs McCullough. 'Dydw i ddim yn teimlo fel siarad.'

Deialodd Rod rif Emma ac ar ôl i'r ffôn ganu ychydig o weithiau, atebodd tad Emma. Na, doedd Josie ddim yno, meddai, ac roedd Emma'n cysgu. 'Mae ganddi ddôs ddrwg o'r ffliw. Mi ddaeth adre tua deg o'r gloch a mynd yn syth i'w gwely. Ond 'drychwch, os na ddaw Josie i'r golwg yn ystod yr hanner awr nesa, ffôniwch yn ôl ac mi ddeffra i Emma.'

Diolchodd Rod i Dr Hunter a rhoi'r derbynnydd yn ôl yn ei grud. Ble gallai Josie fod? Tan rŵan doedd o ddim yn rhy bryderus; roedd yn meddwl ei bod hi wedi cyfarfod rhywun, efallai, neu ei bod efo Emma, a'i bod wedi anghofio faint o'r gloch oedd hi. Ar ei ffordd yno roedd wedi dechrau mynd yn reit fyr ei dymer ac yn dweud y drefn o ddifri wrthi yn ei ben. Erbyn hyn, y cyfan y gallai feddwl amdano oedd y gallai rhywbeth ofnadwy fod wedi digwydd iddi, a theimlai'n sâl y tu mewn.

Daeth Mrs Oswald â'r te, ac eisteddodd Mrs McCullough ar y gris isaf i'w yfed.

'Does 'na neb efo bomia ffordd hyn, Rona,' meddai Mr Oswald, 'felly, mi elli di ymlacio.'

*   *   *   *

'Eich enw llawn?'

'Josephine Rona McCullough.'

'Oed?'

'Un deg saith.'

'Cyfeiriad?'

Adroddodd ef wrthynt. 'Dan ofal Mr a Mrs Oswald,' meddai. Dan ofal. Pwy fuasai eisiau bod dan ofal ei Modryb Gladys a'i Hewyrth Frank? Doedd ganddi hi a'i mam ddim dewis, nid ar hyn o bryd beth bynnag, nes bod eu tŷ ym Melfast wedi'i werthu, a doedd hynny ddim yn mynd i fod yn hawdd. Ar y funud doedd ganddyn nhw ddim digon o arian i brynu sied yn yr ardd hyd yn oed.

'Ai Oswald yr ironmonger ydach chi'n ei feddwl?'

'Yn hollol.'

'Mewn llety yno'r ydach chi neu beth?'

'Mae Mrs Oswald yn fodryb imi. Hanner modryb.'

10

'Pa hanner?' gofynnodd yr heddferch gyda chysgod gwên.

Gwenodd Josie yn ôl arni. O leia roedd gan un ohonyn nhw synnwyr digrifwch. Doedd gan y cwnstabl ddim rhithyn o hiwmor beth bynnag. Roedd yn gwgu.

'Dydach chi ddim yn dod o fan'ma, yn nac ydach?' gofynnodd. Hyd yn hyn roedd wedi bod yn eistedd yn glanhau ei ewinedd efo coes matsien.

'Mae hynny'n amlwg,' meddai ei gydweithiwr.

'Gwyddeles, 'ta?' Edrychodd ar Josie.

'Euog, Eich Anrhydedd.'

'Gwyliwch chi!' Taflodd y goes matsien i'r bin sbwriel. 'Fedar y Sarjiant ddim diodda digywilydd-dra. Mi allai benderfynu'ch cadw chi yn y gell dros nos.'

'Rydach chi wedi 'nghadw fi i aros yn ddigon hir fel mae hi. Mi fydd Mam yn swp sâl yn poeni amdana i.'

'Mi ddylech chi fod wedi meddwl am hynny cyn penderfynu torri'r gyfraith, yn dylech?'

'Gobeithio nad ydw i ddim yn ych cadw chi oddi wrth waith pwysig? Fel chwilio am derfysgwyr ne dreiswyr.'

'Ddaru mi mo'ch rhybuddio chi?'

'Sori,' meddai Josie, ond heb edrych i lawr. Teimlai fel petai'r diawl ei hun ynddi heno, er y gwyddai y byddai'n gallach i fod yn addfwyn ac edifeiriol. Ond doedd addfwynder ac edifeirwch ddim yn rhan o'i natur. Gwyn fyd y rhai addfwyn, canys hwy a etifeddant y ddaear, meddai ei Hyncl Frank, ac yntau'n un o bileri'r achos yn yr eglwys. (Fo oedd yn gofalu am y casgliad ar y Sul, a byddai'n trafod efo'i wraig wedyn faint roedd pawb wedi'i roi.) Doedd Josie ddim yn credu'r adnod am y rhai addfwyn a'r hyn roedden nhw'n mynd i'w etifeddu.

11

Edrychwch o gwmpas y byd, meddai wrth ei hewyrth; doedd y dynion—na'r gwragedd—mewn awdurdod ddim yn ymddangos yn bobl addfwyn iawn iddi hi. Roedd ganddyn nhw ddigon o feddwl ohonyn nhw'u hunain, fel roedd gan y Sarjiant pan ddaeth i mewn i weld beth oedd yn digwydd.

'Wedi bod mewn trwbwl o'r blaen?' gofynnodd, gan roi'i wyneb mor agos at ei hun hi nes y gallai glywed arogl baco drewllyd ar ei anadl.

'Mi gefais f'arestio unwaith am ddal cannwyll ar risia St Martin's-in-the-Field yn Llundain.'

'Ia wir? Fel Wee Willie Winkie, ia?'

'Roedden ni'n cadw gwylnos.' Roedd hi wedi mynd yno efo'i thad a rhyw ddau gant o rai eraill, i brotestio yn erbyn Taflegrau Cruise. Fe gawson nhw'u dwyn i'r llys wedyn, a'u dirwyo. Ond doedd y Sarjiant ddim fel petai ganddo ddiddordeb.

'Gwyddeles, ia? Belfast? Roeddwn i'n dyfalu hynny. Be 'dach chi'n ei neud drosodd yn y wlad yma?'

'Codi tatws. Os na fydda i'n plannu bomia.'

'Mae hi'n nith i Frank Oswald,' meddai'r cwnstabl.

'Pwy fasa'n meddwl?'

'Ydach chi'n meddwl y gallech chi o leia adael iddyn nhw wbod lle'r ydw i?' gofynnodd Josie.

'Oeddech chi'n sylweddoli,' gofynnodd y Sarjiant, 'fod gosod posteri yn anghyfreithlon?'

'Ydw i'n debyg o gael carchar am oes, tybed?'

'Cwnstabl, gadewch iddi gicio'i sodla'n fan hyn am dipyn eto.'

Pan gyrhaeddodd y cwnstabl ddrws tŷ'r Oswalds, roedd mam Josie'n meddwl y byddai'i chalon yn byrstio.

Cofiai unwaith eto y noson pan ddaeth y plisman i'r tŷ yn Belfast. 'Mrs Rona McCullough?' meddai. 'Rwy'n ofni fod gen i newyddion drwg . . .'

'Mae'n iawn, Rona,' meddai Mr Oswald, gan gamu ymlaen. 'Gad hyn i mi. Beth sy, Cwnstabl?'

'Rydw i wedi dod i wneud archwiliad adnabyddiaeth.'

'Archwiliad adnabyddiaeth?' meddai Mrs McCullough gan ddychmygu'i merch yn gorwedd yn farw ar ochr y ffordd.

'Ydi Josephine Rona McCullough yn byw yma?'

'Be sy wedi digwydd iddi?' gwaeddodd Mrs McCullough, gan wthio heibio'i chwaer-yng-nghyfraith.

'Yma mae hi'n byw?'

'Ia,' meddai Mr Oswald.

'Be sy wedi digwydd?' meddai Mrs McCullough. 'Dwedwch wrtha i, *plîs!*'

'Mae hi wedi'i harestio—'

'Ei harestio?' meddai Mrs Oswald gan roi'i llaw ar ei cheg fel petai'n ceisio mygu'r gair.

'Be mae hi wedi'i wneud?' gofynnodd ei gŵr, mewn llais tawel.

'Gosod posteri.'

'Posteri?'

'Ia, ar waliau—'

Dechreuodd Mrs McCullough chwerthin, a daliodd ati i chwerthin nes bod y dagrau'n llifeirio i lawr ei bochau. 'O mae'n ddrwg gen i,' meddai, gan sobri.

'Rwyt ti'n colli arnat dy hun,' meddai ei chwaer-yng-nghyfraith.

'Na, na, dim ond wedi cael rhyddhad. Gosod posteri!' A dechreuodd chwerthin eto.

'Ydach chi'n ei chadw hi i mewn 'ta, Cwnstabl?' gofynnodd Mr Oswald.

'Mae hi yng ngorsaf yr heddlu. Mae'r Sarjiant yn dweud, os dowch chi yno, y gneith o'i gollwng hi i'ch gofal chi.'

'Y peth gwaetha,' meddai Josie, 'oedd Yncl Frank yn dod i'm nôl i. Roedd golwg arno fel petai wedi hoffi'n llusgo fi trwy'r gwter.'

'Mi gâi dipyn o job dy lusgo di, Josie!' meddai ei ffrind Anna, ac fe chwarddodd y ddwy, yn ogystal ag Emma. Ar wely Emma yr oedden nhw'n eistedd. Roedd ei gwres yn dal yn uchel ac roedd ei thad wedi'i rhwystro rhag codi.

Roedd Josie—a hithau'n bum troedfedd wyth modfedd—cyn daled â'i Hewyrth Frank Oswald, ysgwydd wrth ysgwydd, lygad wrth lygad. Ei ffugenw hi arno weithiau oedd 'UFO'—*Unidentified Flying Object*. Roedd ei freichiau wedi hedfan tuag ati unwaith a'i tharo, pan oedd hi'n naw oed. Oherwydd iddi fod yn ddigywilydd, meddai ef. Ond fe ddywedodd ei thad wrtho na châi byth eu gweld nhw eto petai'n meiddio cyffwrdd bys ynddi. Wrth gofio hynny, cafodd ei themtio i geisio pryfocio'i hewyrth unwaith eto, ond roedd ei thad wedi'i rhybuddio hithau hefyd. Doedd o ddim yn mynd i ddygymod ag unrhyw ddigywilydd-dra o'i hochr hi, hyd yn oed os oedd ei frawd-yng-nghyfraith yn codi gwrychyn pobl fel yr oedd yn ddigon parod i gyfaddef. 'Rhaid iti ddysgu rheoli'r hen ddiafol bach 'na tu mewn iti, Josie!' Ochneidiodd wrth feddwl am ei thad rŵan. Gan ei gorfodi'i hun i anghofio'i hiraeth, meddai:

'Mi ddwedodd yr "UFO" wrtha i 'mod i wedi tynnu gwarth arno fo ac Anti Glad! "Rhaid i ni allu cerdded yn benuchel yn y dre 'ma. Rydan ni'n gorfod hel ein tamaid yn y dre 'ma." A dyna lle'r oedd Anti Glad â'i dwylo am ei phen yn gwynfanllyd.' Dynwaredodd Josie lais ei modryb rŵan. '"Rydan ni'n cael ein cyfri'n barchus yn y

15

gymdeithas yma. Meddylia'r fath gywilydd—y polîs yn dod i'r drws! Fel petaen ni'n droseddwyr cyffredin! A dy yncl yn gorfod mynd i orsaf yr heddlu i dy gael di'n rhydd ar fechnïaeth!'' Mi gododd ei chalon ryw chydig pan ddwedais eu bod nhw wedi 'ngollwng i'n rhydd heb 'y nghyhuddo fi. Dwi'n meddwl ei bod hi wedi dychmygu gweld fy llun i yn y papur newydd:

"NITH I SIOPWR PARCHUS O FLAEN Y LLYS."'

'Dwi'n teimlo y dylwn i gyfadde hefyd,' meddai Emma. 'Dydi o ddim yn iawn i ti gymryd yr holl fai. Wedi'r cwbl, roedd 'na chwech ohonon ni allan i gyd.'

'Fi oedd wiriona'n cael fy nal 'ta,' meddai Josie. Fe wyddai ei bod yn mentro wrth osod y poster olaf hwnnw. Ac ynglŷn ag Emma'n cyfaddef, wel nid rhyw helynt bach pitw yn yr ysgol oedd hwn. *Dwylo i fyny pwy bynnag sy wedi dwyn y sialc neu mi gadwa i'r holl ddosbarth i mewn.* Ond roedd hyn yn llawer mwy difrifol.

'Wrth gwrs!' meddai Anna, a oedd yn un o'r chwech a fu'n gosod y posteri.

'Roedd y plismyn yn deud 'mod i wedi cael noson brysur,' meddai Josie gan wenu. Fe'i gwelsant i lawr yn yr harbwr ac yn y Stryd Fawr. Fe fuon nhw'n ei dilyn, ac roedden nhw'n gwybod nad oedd hi ar ei phen ei hun. 'Mi ddwedais wrthyn nhw eu bod yn gweld petha'n ddwbl, mae'n rhaid.'

'Ddylet ti wylio be wyt ti'n ddeud wrthyn nhw, Josie!' meddai Emma. 'Rhaid inni eu cael nhw ar ein hochr ni, os gallwn ni. Mae amryw ohonyn nhw'n ein cefnogi ni'n barod, fwy na thebyg.'

'Rwyt ti'n iawn, wrth gwrs, Em,' meddai Josie. Ara bach mae dal iâr—dyna fyddai'i thad yn arfer ei ddweud. Fe lwyddodd o i wneud cryn dipyn ei hun trwy gymryd gofal, ond fe ddaru nhw'i gael o yn y diwedd. 'Tro nesa—'

'Wyt ti'n meddwl y bydd 'na dro nesa?' meddai Anna.
'I gael ein restio?'

'Wel mae o ar y cardia, yn dydi? Os daliwn ni ati. Ac mae'n rhaid inni.'

*   *   *   *

Fe aeth Josie ac Anna yn fuan wedyn. Aeth mam Emma â nhw at y drws.

'Roedd Emma efo ti neithiwr, on'd oedd, Josie?' meddai Mrs Hunter. 'Does dim pwynt iti drio celu dim, achos mi ddwedodd hi wrtha i ei hun. Dwi'n ama fydd hi wedi gwella digon erbyn dydd Sadwrn, cofia. Ond mi elli ddibynnu arna i.'

'Arnoch *chi?*'

'O, ia, mi fydda i yno. Rydw i wedi bod ar dipyn o orymdeithia yn fy mywyd—protestiada CND ac yn y blaen, a doeddwn i ddim yn siŵr iawn be oedd 'y marn i am ynni niwclear pan ddaru nhw gynnal ymchwiliad cyhoeddus ein hatomfa ni ddeng mlynedd yn ôl—ond mi wn i rŵan. Fel llawer o bobl eraill.'

'Ar ôl Chernobyl?'

'Ar ôl Chernobyl.'

'Beth am Dr Hunter?' gofynnodd Anna.

'O mae ynta yn ei erbyn o hefyd, ond nid dyn ralïa ydi o. Mae'n well gynno fo sgwennu llythyra. Mi neith yr hyn fedrith o yn y cyfeiriad hwnnw.'

Cerddodd y ddwy ferch i ganol y dre gyda'i gilydd. Doedd Anna ddim cyn daled â Josie o dipyn; roedd ei chorun yn cyrraedd ysgwydd y llall. Rhyw sliwan dena o ferch oedd hi, meddai Anti Gladys, oherwydd doedd hi

17

ddim yn cymeradwyo'r cyfeillgarwch, gan fod Anna yn newid lliw ei gwallt mor aml (pinc oedd o ar y funud), a bod ei theulu'n griw dioglyd yn godro pwrs y wlad a byw ar arian dôl. Roedd Josie wedi colli'i limpin efo'i modryb ynglŷn â hynny.

'Mae Emma'n lwcus bod ei mam a'i thad hi'n ei chefnogi hi ar hyn,' meddai Anna. 'Faswn i ddim yn meiddio awgrymu dim am y peth wrth Mam a Dad. Mi fasan nhw'n mynd trwy'r to. Fydda fo'n union fel 'taswn i'n rhoi cyllell yng nghefn Dad. Mae o'n gobeithio cael swydd yn yr atomfa, ti'n gweld. Mae o bron â marw isio gwaith. Wel, hynny ydi, mae o wedi bod ar y dôl am ddwy flynadd.'

'Mi alla i ddallt sut mae o'n teimlo, ond be 'di'r iws cael gwaith os galla fo dy ladd di yn y pen draw?'

'Nid fel'na mae o'n edrych ar betha.'

'Mi ddylat ti drio gneud iddo fo edrych ar betha yn y ffordd yna.'

'Digon hawdd siarad.'

'O, dwi'n gwbod,' meddai Josie, achos doedd hi ddim yn cael llawer o lwyddiant gartref chwaith. Prin y cafodd hi gyfle i roi gair i mewn neithiwr. Roedd ei modryb a'i hewyrth yn swnio fel côr mewn drama Roegaidd yn llafarganu'n alarnadol.

'Does gynnon ni ddim isio helynt.'

'Mae gynnon ni isio byw mewn heddwch.'

Rhoes Josie air i mewn yn fan'na. 'Falla na fydd 'na ddim llawer o heddwch os bydd 'na ddamwain niwclear ar garreg eich drws chi.'

'Wyddost ti ddim am betha fel'na, 'ngenath i,' meddai Anti Gladys. 'Dim ond yr hyn sy yn y papura. Ac mae'r rheini'n chwyddo pob dim i fyny. Unrhyw beth i werthu'r papura.'

'Dim ond isio byw'n dawel sy arnon ni, Josephine,' meddai Yncl Frank. 'Ac mae croeso i ti a dy fam aros cyn belled â'ch bod chi'n cadw'n ddistaw a didramgwydd. Dyna'r lleia y gallen ni'i wneud er cof am dy dad.'

'Mae'n rhaid i ni gael mynd o grafanga'r Oswalds 'na,' meddai Josie wrth Anna. 'Mi fydd raid imi chwilio am swydd.' Ar hyn o bryd roedd hi'n gweithio'n ddi-dâl i'w hewyrth bob dydd Sadwrn, er mwyn talu am ei lle.

Roedd arian yn broblem i Anna hefyd. Gweithiai hi mewn cartre cŵn ar benwythnosau, ac roedd hi'n mwynhau hynny, gan fod arni eisiau bod yn ffariar, ac yna gweithiai mewn siop sglods ddwy noson yr wythnos, ac roedd yn gas ganddi hynny. 'Mae 'ngwallt i'n drewi'n ddychrynllyd ar ôl bod yno, ac mae'n rhaid imi'i olchi fo deirgwaith i gael gwared â'r ogla.'

Aethant heibio un o'u posteri ar dalcen gwesty a oedd wedi cau dros y gaeaf. Doedd o ddim wedi'i osod yn berffaith ond roedd yn ddigon hawdd darllen y neges arno: 'GORYMDAITH BROTEST AT SAFLE'R ORSAF NIWCLEAR, DYDD SADWRN, YN GADAEL NEUADD Y DREF AM 12.'

'Wneith dy ewyrth adael iti fynd ddydd Sadwrn?' gofynnodd Anna. Roedd hi wedi trefnu i gael diwrnod yn rhydd o ofalu am y cŵn.

'Faswn i ddim yn deud y bydd o'n *gadael* imi fynd. Ond mi fydda i yno!'

Troesant i'r sgwâr a brysiodd Josie tua chaffi'r Dylluan Wen lle'r oedd hi wedi cytuno i gyfarfod â Rod. Cododd ei chalon wrth weld ei ben tywodlyd yn plygu dros ei gwpaned goffi. Dim ond am naw wythnos y buon nhw'n canlyn ond teimlai hi ei bod yn ei nabod ers blynyddoedd. Roedd hynny'n rhyfedd. Efallai mai'r rheswm oedd ei fod yntau hefyd newydd ddod i'r dre. Neu efallai fod mwy yn y peth na hynny.

'Sori 'mod i'n hwyr.'

'O mae'n iawn.'

Roeddynt yn gwenu ar ei gilydd, a chydiodd Rod yn ei llaw hi dan y bwrdd a dal ei afael ynddi.

'Sori am neithiwr hefyd,' meddai hi. 'Am beidio cadw 'ngair.'

'Dwi'm yn siŵr ydi hynny'n iawn ne beidio.'

'Wel, dwi'n gwbod na fyddi di ddim yn cymeradwyo—'

'Paid â siarad am y peth, Josie.'

'Pam?'

'Rydan ni wedi siarad digon.'

'Naddo, dydan ni ddim.' Tynnodd ei llaw i ffwrdd. 'Nid siarad go-iawn. Rwyt ti'n gwrthod siarad am ddim byd sy'n aflonyddu arnat ti. Ac mae o'n d'aflonyddu di oherwydd dy dad, yn dydi?'

'Nac ydi.'

'Rwyt ti'n teimlo y dylet ti gadw'i ochr o.'

'Does a wnclo fo ddim â chymryd *ochr*. Pam wyt ti'n trafod popeth fel petai'n frwydr?'

'Mi fyddi di'n meddwl mai oherwydd 'y nghefndir Gwyddelig i mae hynny. Ac mi fasa hi'r un mor hawdd i mi ddeud dy fod ti'n cymryd agwedd groes oherwydd mai Sgotyn wyt ti.'

'Oes raid i *ni* frwydro, Josie?'

'Nid i frwydro y dois i yma.'

Doedd o ddim yn edrych arni bellach, dim ond ffidlan efo'i lwy yn ei soser, a gwg ar ei wyneb. Roedd o'n styfnig, ac yn gwrthod ildio os oedd o wedi penderfynu'i gloi'i hun tu mewn—roedd hi'n ei nabod yn ddigon da i wybod hynny. Allai hi ddim diodde pobl oedd yn eu cloi'u hunain rhagddi.

'Rwyt ti wedi gneud dy feddwl i fyny ar y mater, yn do?' meddai, 'ac wedi'i gloi o—yn dynn fel carchar.'

'Mi wyddost lle dwi'n sefyll, Josie.'

'Gwn yn iawn. Efo dy draed yn sownd yn y ddaear.' Safodd. 'Does dim pwynt os na allwn ni *siarad,*' meddai. A cherddodd allan.

Gwyliodd Rod hi'n mynd. Gad iddi fynd! meddyliodd. A gwynt teg ar ei hôl hi hefyd! Roedd wedi edrych ymlaen at ei gweld, ac wedi bod yn meddwl amdani trwy'r pnawn, yn ystod gwers Ffiseg, a'r athro wedi dweud y drefn wrtho am synfyfyrio. Pam roedd raid i Josie ddifetha'r cwbl? Roedd hi mor benderfynol! Mor ddadleugar. Pam na allai adael i bethau fod weithiau?

Edrychodd trwy niwl ffenest y caffi a'i gweld yn croesi'r ffordd. Roedd yn hoffi'r ffordd roedd ei gwallt tywyll yn bownsio ar ei hysgwyddau wrth iddi gerdded. Hoffai'r ffordd roedd hi'n cerdded, efo'i chefn syth, a chyda chamau hir. Doedd o byth yn gorfod arafu'i gam wrth gerdded yn ei hochr. Ac roedd yn hoffi'r lliwiau llachar a wisgai. Roedd hi wrth ei bodd efo lliwiau: pinc a oedd bron yn llosgi'r llygaid, oren a lemwn a wnâi ichi feddwl am *sherbet,* a glas y môr a gwyrdd caeau'r gwanwyn. Byddai'n tynnu'i choes trwy ddweud y gallai ei gweld yn dod filltir i ffwrdd.

Gwthiodd ei gadair yn ôl a chodi. Aeth ar ei hôl. Pan ddaeth o fewn clyw iddi, gwaeddodd: 'Hei, arhosa!'

Trodd ei phen i edrych. Petrusodd am funud. Yna safodd ac aros amdano.

Arhosodd ef ryw lathen oddi wrthi. Cyfarfu eu llygaid. Dechreuasant chwerthin, a'r funud nesaf roeddynt wedi symud tuag at ei gilydd ac roedd eu breichiau am ei gilydd. Dyna lle'r oedden nhw'n sefyll ar ganol y palmant yn cusanu, a'r bobl oedd yn mynd adref o'u gwaith yn gorfod gwneud cylch o'u cwmpas.

'Mi fydda i'n rhoi enw drwg iti yn y dre 'ma,' meddai Josie pan oeddynt wedi gwahanu. 'Gei di weld mai fi geith y bai. Yr hen jadan 'na o Iwerddon! Yn llygru'r hogyn Lawson 'na, ac yntau'n hogyn *mor* neis.'

Chwarddodd y ddau, a cherdded ymlaen ym mreichiau'i gilydd.

'Mae Mam yn meddwl dy fod ti'n gwneud lles i mi.'

'Ydi hi? A pham dyla hi feddwl hynny?'

'Alla i ddim dychmygu,' meddai, er y gallai. Roedd ei fam yn meddwl ei fod yn tueddu i dreulio gormod o amser ar ei ben ei hun, yn darllen a gwneud modelau. Hyd yn oed pan oedden nhw yng Nghaeredin lle'r oedd ganddo nifer o ffrindiau, a chariad hefyd. Ond yma roedd yn hapus i fod ar ei ben ei hun, nes iddo gyfarfod â Josie.

'Wyt ti am ddod i mewn i nôl y llyfr Bioleg 'na?' gofynnodd. Roedd yn rhaid iddi fynd heibio'i dŷ ar ei ffordd adref.

Ar dalcen y stryd lle'r oedd y Lawsons yn byw roedd 'na boster. 'Ar eich cyfer chi mae hwn, Mr Lawson,' dyna'r oedd Josie wedi'i ddweud wrth ei osod i fyny, ac meddai Emma: 'Mae o'n ddyn mor ddymunol. Mi faswn i'n falch 'tae o ddim mor ddymunol.' Ond doedd a wnelo 'dymunol' ddim byd â'r peth, oedd ateb Josie ar y pryd.

Gwnaeth Rod iddi aros, a darllenodd y print mân ar waelod y poster yn uchel. '"Oes arnoch chi eisiau gweld eich tre'n troi'n Chernobyl arall? Ydych chi am i'ch plant wynebu'r peryglon o gael *leukaemia?* Os ydych chi'n poeni, ymunwch â ni ar ein gorymdaith . . ." Braidd dros ben llestri, yn dydi?'

'Sut gelli di ddeud hyn'na?' ffrwydrodd hithau. 'Mi aeth Chernobyl dros ben llestri—reit dros y top!'

'Dwi'n gwbod! Roedd o'n ofnadwy, dydw i ddim yn

trio gwadu hynny, ond mae'r orsaf yma'n hollol wahanol.'

'Ti sy'n deud hynny.'

'Paid â gadael inni ffraeo eto! Rhaid inni ddysgu cytuno i anghytuno ar y pwnc yma.'

'Dwi'n gweld hynny'n anodd.'

'Mi wn i. Ond pam na wnei di drio?'

Atebodd hi ddim. Aethant ymlaen at dŷ Rod.

Roedd yn glamp o dŷ cerrig braf, wedi'i amgylchynu gan ardd fawr a wal gerrig uchel. Tŷ wedi'i adeiladu'n dda i wrthsefyll y corwyntoedd o'r môr. Roedd yn llawn oglau cwyr a bwyd cartref. Roedd y Lawsons wedi cartrefu mor dda yno, gallasent fod wedi byw yno trwy gydol eu hoes.

Holodd Mrs Lawson sut roedd mam Josie. 'Mae hi wedi cael amser caled, druan â hi. Dwi'n siŵr dy fod ti'n gefn mawr iddi. Fasa hi'n licio cael torth, tybed? Dwi newydd fod yn crasu bara.'

'Mi fasa wrth ei bodd yn cael un.'

Agorodd y drws cefn a daeth Mr Lawson i mewn yn cario bag llaw. Gwenodd ar Josie.

'Dwi'n clywed fod gen ti orymdaith brotest ddydd Sadwrn?'

'Dim byd personol.'

'O, dwi'n siŵr o hynny. Rhaid i ti a fi gael sgwrs hir rywbryd, Josie.'

'Mae Josie'n mwynhau siarad,' meddai Rod. 'A thrafod pethau.'

Crychodd ei thrwyn arno.

'Wyddost ti be, Josie,' meddai Mr Lawson, 'mae'r sôn am ddamweinia niwclear wedi mynd yn chwerthinllyd o eithafol. Wyt ti wedi meddwl erioed faint o ddamweinia sy wedi bod yn y pylla glo? Mae 'na gannoedd o ddynion wedi marw yn y pylla heb sôn am glefyd y llwch. A beth am Bhopal? Mi ddaru 'na *ugain mil* farw yn fan'no. Mae 'na beryglon ymhob diwydiant, ac efo'r diwydianna cemegol, mae 'na beryglon enfawr.'

'Mae'n wahanol efo ynni niwclear hefyd, yn dydi? Mae effeithia damwain niwclear yn para am flynyddoedd ar flynyddoedd.'

'Fel y bydd effeithia Bhopal.'

'Ddyla hynny ddim bod wedi digwydd chwaith!'

'Dydi hwn ddim yn fyd delfrydol. Mi fydd damweinia'n siŵr o ddigwydd.'

'Yn hollol! Felly mi fydd damweinia niwclear yn siŵr o ddigwydd. Fe *allen* ni gael Chernobyl arall i lawr y ffordd.'

'Mae'n hynod annhebygol. Mae'r adweithydd yn un diogel iawn. 'Drycha, Josie, mae angen mwy o ynni ar y byd. Mae'r Trydydd Byd yn gweiddi am fwy o ynni. Rhaid i ni foderneiddio'n diwydianna cynhyrchu, a chreu gwaith ar gyfer pobl. Mae glo ac olew'n dechra prinhau.'

'Ond mae 'na ffyrdd eraill o gynhyrchu ynni.'

'Fasa 'na byth ddigon ar gyfer holl anghenion y byd.'

'Sut gwyddan nhw heb wario digon o arian ar ymchwil i ddullia amgenach.'

'Ydach chi ddim wedi trafod digon ar y busnes niwclear 'ma rŵan?' meddai Rod, a oedd wedi bod yn symud yn anniddig yn y cefndir.

'Be 'dach chi'n feddwl, Mrs Lawson?' gofynnodd Josie, gan droi ati hi.

'Dwi'n meddwl fod raid inni roi'n ffydd yn y gwyddonwyr a'r peirianwyr. Maen nhw isio byw hefyd, cofia.

Dydyn nhw ddim isio creu hafog o betha. Mae gen i ffydd yn Ben.' Ac edrychodd ar ei gŵr.

Mae'n siŵr fod bywyd yn haws os ydi rhywun yn gallu meddwl fel'na, meddyliodd Josie. Roedd yr Hunters hefyd wedi dod o'r Alban yn wreiddiol, ac roedd Mrs Hunter yn nabod mam Rod, flynyddoedd yn ôl. Roedd hi'n dweud fod Mrs Lawson yn ferch hynod o ddymunol, heb ryw farn bendant iawn ar ddim, a rŵan roedd hi'n ddynes hynod o ddymunol, yn adleisio barn ei gŵr.

'Pam na ddoi di draw i'r atomfa i mi gael mynd â chdi o gwmpas?' meddai Mr Lawson. 'Iti gael gweld drosot ti dy hun. Beth am fory ar ôl 'rysgol? Mi allai Rod ddod â chdi draw.'

'Olreit,' meddai Josie. Roedd hi'n fodlon.

'Tyd i swper wedyn,' meddai Mrs Lawson.

Hebryngodd Rod Josie at y gornel. Doedd dim rhaid iddi fynd i'r atomfa, meddai. Roedd popeth yn iawn, meddai hithau, roedd arni eisiau mynd. 'Gad fi yn fan hyn, Rod. Mi faswn i'n licio mynd adre fy hun o fan'ma. Dydw i ddim wedi cael munud i mi'n hun trwy'r dydd ac mae arna i angen amser i feddwl.'

Rhoddodd gusan iddi a chychwyn i ffwrdd, a dod yn ôl am gusan arall. Aethant heibio'r gornel a phwyso yn erbyn y wal. Mewn ychydig, dywedodd Josie fod *raid* iddi fynd neu fe fyddai'i mam yn dechrau poeni eto. 'Ac mi fydd dy swper di wedi llosgi.'

'Does dim affliw o ots gen i am swper!'

Gwahanodd y ddau o'r diwedd. Arhosodd Rod ar y gornel i'w gwylio nes ei bod o'r golwg.

Aeth Josie o gysgod y dref allan i'r prom agored. Roedd y gwynt yn jolihoetio ac yn chwarae â'i gwallt gan ei chwipio i'w hwyneb. Chwarddodd yn uchel. Hoffai deimlo'r gwynt ac ogleuo'r môr a gweld y tonnau gwynion yn taro ar y tywod islaw. Roedd wrth ei bodd yn cerdded y traeth efo Rod, er mai rhedeg a wnaent fel arfer, y naill yn tynnu'r llall ymlaen.

Yn rhy fuan, cyrhaeddodd y rhes o dai teras lle'r oedd ei hewyrth a'i modryb yn byw. Roedd ei modryb yn loetran yn y lobi. Byddai bob amser yn loetran yn amheus. Amneidiodd ar Josie â'i bys. 'Dwi am gael gair efo ti,' meddai gan ei harwain i'r gegin fyw lle'r oedd ei gŵr yn eistedd wrth y bwrdd yn bwyta iau a nionod ac yn gwylio'r newyddion ar y teledu. Trodd y sŵn yn is.

'Mae gynnon ni rywbeth i'w ddeud wrthat ti, Josephine. Rydan ni'n Gristnogion da, a ddaru ni ddim petruso dy gymryd di a dy fam i mewn pan gafodd dy dad druan ei ladd gan yr IRA.'

'Wyddon ni ddim ai'r IRA oedd yn gyfrifol! Falla mai'r UDA neu'r UVF osododd y bom.'

'Paid â siarad rwts,' meddai Yncl Frank, gan blannu'i fforc mewn darn o iau. 'Wrth gwrs mai'r IRA wnaeth. Roedd dy dad yn Brotestant . . . o ryw fath, beth bynnag.'

'Roedd Dad yn rhedeg clwb ieuenctid ar gyfer Protestaniaid *a* Chatholigion. Doedd rhai eithafwyr ar y naill ochr a'r llall ddim yn hoffi hynny, ond wnaeth neb gymryd y cyfrifoldeb, felly *wyddon* ni ddim pwy wnaeth.'

'Roeddwn i'n gwybod na ddôi dim lles o sefydlu'r clwb ieuenctid 'na,' meddai Anti Gladys. 'Gofyn amdani oedd trio cymysgu'r ddwy garfan efo'i gilydd. 'Nenwedig criw fel'na. Dim byd ond lowts cornel stryd.'

'Wyddoch chi ddim sut rai oedden nhw,' meddai Josie yn ymosodol. 'Fuoch chi ddim yn agos i Belfast ers blynyddoedd, yn naddo?' Ofn trwy'i thin i fynd ar gyfyl y lle—dyna'r hoffai ei ddweud, ond feiddiai hi ddim. Tra byddai dan gronglwyd yr Oswalds, beth bynnag. 'O leia mi geisiodd Dad *neud* rhwbath, yn lle eistedd a'i ben yn ei blu.'

Golchodd Yncl Frank y darn olaf o iau i lawr efo llymaid o de. 'Josie, yr hyn sy gynnon ni isio'i ddeud wrthat ti ydi—dydan ni ddim am iti gymryd rhan yn y brotest 'na fore Sadwrn. Os gwnei di, dwi'n ofni y bydd rhaid inni ofyn iti adael y tŷ.'

'Dim ond gorymdaith ydi hi! Dydan ni ddim yn mynd i dorri'r gyfraith. Be 'dach chi'n ei ofni gymaint?'

'Gwylia di be wyt ti'n ddeud wrthon ni!' meddai Anti Gladys. 'Dydan ni ddim yn fodlon iti gymysgu efo'r math o wehilion cymdeithas sy'n mynd ar y gorymdeithia 'ma. Maen nhw'n denu pob math. Mae'r rhan fwya'n edrych fel petaen nhw heb gael bàth ers misoedd. Fel y merched 'na yng Nghomin Greenham.'

'Be 'di hwnna?' meddai Josie, gan bwyntio'n sydyn at y sgrîn deledu. 'Mae'n edrych fel gorymdaith Unoliaethwyr i mi.' Roedd baneri Jac yr Undeb yn hofran yn yr awel a rhai eraill yn darlunio'r Brenin Billy ar ei geffyl gwyn, a gellid gweld y pibau a'r drymiau er na ellid eu clywed.

'Mae hyn'na'n wahanol,' meddai Anti Gladys. Roedd ei thad hi—a thaid Josie—yn perthyn i'r urdd Oren. 'Mae'n rhan o'u traddodiad nhw i fartsio. Beth bynnag, dangos eu ffyddlondeb i'r Goron maen nhw.'

'O, ai dyna maen nhw'n ei neud?'

'Meddylia dros y peth,' meddai Yncl Frank, fel yr âi Josie am y drws. 'A chofia nad ydi hi mor hawdd cael to uwch dy ben. Cofia am dy fam hefyd, achos mae hi wedi cael digon o helbulon yn barod.'

'Mae gynnon ni'n safona,' meddai Anti Gladys. 'A dydan ni ddim yn gweld pam y dylet ti eu gostwng nhw.'

Edrychodd Josie'n ôl o'r drws. 'Falla'r hoffech chi wbod y bydd Mrs Hunter—gwraig *y doctor*—ymysg y gwehilion sy byth yn molchi!'

Bu bron iawn iddi gau'r drws yn glep y tu ôl iddi, ond rheolodd ei thymer. Yn y lobi teimlai bron â ffrwydro, a theimlai fel petai mwg yn cyrlio allan o dop ei phen. Doedd hi'n sicr ddim yn mynd i ildio i'r blacmel yna!

'Ai ti sy 'na, 'nghariad i?' gwaeddodd ei mam o'r llofft.

Dringodd Josie'r grisiau i'r ail lawr lle'r oedd ganddi hi a'i mam ddwy stafell yn yr atig, a chwpwrdd a ddefnyddient fel cegin. Rhannent y bathrwm ar y llawr cyntaf efo'r Oswalds. Ar un adeg roedd Mrs McCullough wedi bod yn byw yn y tŷ drws nesa efo'i rhieni, ond roedd y rheini wedi marw erbyn hyn. Fe gyfarfu â'i gŵr pan oedd ef ar ymweliad â'i chwaer.

'Mi faswn i'n falch 'taen ni ddim yn gorfod aros yma,' meddai Josie.

'I ble arall gallwn ni fynd?'

Ar ôl iddyn nhw fwyta, eisteddodd y ddwy o flaen y tân nwy yn yfed coffi.

'Josie,' dechreuodd ei mam.

'Ia?'

Ochneidiodd Mrs McCullough. 'Mae'n gas gen i orfod gofyn hyn iti . . .'

'Oes raid ichi 'ta?'

'Oes, dwi'n ofni.'

'Dydach chi ddim am imi fynd ddydd Sadwrn—dyna be sy, yntê?'

'Fedrwn ni ddim fforddio colli'r stafelloedd 'ma.'

'Mi adawa i'r ysgol a chael swydd ac mi allwn ni gael stafelloedd ar rent yn rhywle.'

'Dwi am iti orffen yn yr ysgol. Mi ddylet ti fynd i'r Brifysgol. Mi fasa dy dad am iti fynd hefyd.'

'Ond mi fasa fo allan yna'n protestio'i hun, mi wyddoch chi hynny!'

'Gwn, mi wn i hynny'n iawn!' meddai Mrs McCullough, a swniai'r llais fel petai bron â thorri. Cododd Josie o'i chadair a mynd ar ei gliniau wrth ei hochr. Rhoes ei braich am ei mam.

'Mam, fedra i ddim siomi'r lleill.'

'Dwn i ddim fedra i ddiodda mwy, Josie. Nid ar y funud. Dwi'n haeddu tipyn o dawelwch. Am flynyddoedd mi fues i'n poeni y basa rhwbath yn digwydd i dy dad. Doedd o byth yn barod i gadw'n ôl mewn unrhyw sefyllfa. Wel, rwyt ti'n gwybod hynny. Roedd o'n credu y dylai rhywun sefyll dros yr hyn mae o'n credu ynddo fo, ac mi roeddwn i'n 'y ngneud yn hun yn sâl wrth boeni amdano fo'r un peth. A rŵan dyma titha . . .'

'Dydi o ddim yn union 'run peth, Mam.'

'A fedra i ddim wynebu'r syniad o orfod byw mewn rhyw stafell fach bitw ddi-raen chwaith.'

'Fasa hi ddim yn dod i hynny,' meddai Josie. 'Mi all yr Oswalds 'y nhroi *fi* dros y drws, ond go brin y basan nhw'n eich gyrru chi ar y stryd.'

'Ac wyt ti'n meddwl y gallwn i d'adael di i fynd dy hun?' meddai ei mam. 'Josie, *plîs,* paid â mynd ddydd Sadwrn. Er fy mwyn i.'

PENNOD 4

Ar ôl iddyn nhw glirio'r llestri, aeth Josie am dro ar hyd y prom. Cerddodd yn ôl ac ymlaen, efo'i dwylo'n ddwfn yn ei phocedi a'i choler wedi'i throi i fyny rhag brathiad y gwynt, ac unwaith eto gadawodd i'r dadleuon a fu'n ei herlid drwy'r dydd sgrechian yn ei phen.

Be ddylai hi'i wneud? Roedd hi'n un o drefnwyr yr orymdaith. Sut gallai hi siomi'r lleill? Ond os âi, be wedyn? Fyddai dim ots ganddi hi gael ei throi dros y drws. Mi fuasai hi a'i mam yn dod o hyd i stafell yn rhywle, hyd yn oed petai hi'n ddim byd ond bocsrwm. Mi fuasai'n well ganddi gysgu ar y llawr nag aros yn nhŷ ei pherthnasau'n groes i'r graen. Roedd yr 'UFO' wedi'i gweld ar ei ffordd allan. 'Mynd i gymowta *eto?*' meddai. Roedd hi'n siŵr eu bod nhw'n eistedd yn y gegin fyw efo'r drws yn gilagored er mwyn iddyn nhw gael sbecian arni'n mynd a dod.

Ond fyddai ei mam ddim am gysgu ar y llawr mewn rhyw stafell fach laith efo dim ond rhyw ffenest fach yn y to. A pham y dylai hi? Roedd arian mor brin, a hwythau heb fawr o ddewis. Mi gymerai oesoedd i gael gafael ar dŷ cyngor hyd yn oed 'tasan nhw'n rhoi'u henwau i lawr ar unwaith. Ochneidiodd Josie. Roedd yn rhaid iddi feddwl am ei mam.

Arhosodd lle'r oedd y tai'n gorffen a phwysodd ar wal y prom yn wynebu'r môr.

'Ydach chi'n iawn?'

Neidiodd yn ôl a gweld gwraig mewn côt goch. Roedd y golau yn y fan honno'n wan fel nad oedd wedi nabod yr heddferch a oedd wedi bod yn ei holi yng ngorsaf yr heddlu y noson cynt.

'Dwi'n iawn,' meddai yn ochelgar er nad oedd y wraig ar ddyletswydd.

'Mae fan hyn yn lle unig i fod yn loetran ynddo ar fin nos.'

'Dwi'n gallu gofalu amdana i fy hun. Mi fûm i ar gwrs hunanamddiffyn.'

'Mi fydd raid imi wylio fy hun 'ta, yn bydd?' Chwarddodd y ddwy. Petrusodd y wraig, ac yna gan glosio gam yn nes ati, fe ddywedodd mewn llais mor isel fel mai prin y gallai Josie glywed uwch sŵn y môr: 'Petawn i heb fod yn yr heddlu mi faswn i efo chi ddydd Sadwrn. Ond mae hyn'na rhyngon ni'n dwy, wrth gwrs.'

'Wrth gwrs,' meddai Josie.

Dywedodd yr heddferch mewn côt goch 'Nos da', a cherddodd yn ôl tua'r dre ar hyd y prom. Ailddechreuodd bendroni.

Mynd neu beidio? Dyna'n wir *oedd* y cwestiwn! Oedd yn ei hatgoffa y dylai fod gartre'n darllen *Hamlet*, achos roedd ganddi draethawd Saesneg i'w gyflwyno'r bore wedyn. Dilidaliwr oedd Hamlet, ond doedd neb wedi'i chyhuddo hi o hynny. Câi ei chyhuddo o fod yn fyrbwyll fel arfer. Ond roedd yr achos yma'n wahanol. Roedd yn cael ei thynnu ddwy ffordd, a pha un bynnag a ddewisai, byddai ei chydwybod yn ei phigo.

Be fuasai'i thad wedi'i ddweud petai yma? Gwyddai y byddai'n cefnogi'i hachos—doedd dim amheuaeth am hynny, oherwydd roedd yn poeni'n ddwfn am bopeth a wnâi dynion i lygru'r ddaear, a byddai'n sicr o'i phlaid hi ar y cwestiwn hwn—ond gwyddai hefyd y byddai'n disgwyl iddi osod ei mam yn gyntaf.

'Mae hi wedi diodde digon, Josie.' Roedd yn meddwl ei

bod yn clywed ei lais ond pan wrandawodd eto ni allai glywed ond sblasio'r môr a chŵyn y gwynt.

Fe âi'r orymdaith yn ei blaen hyd yn oed petai hi ddim yno.

Ar ei ffordd adref cyfarfu â Jack Dempster, cariad Anna. Roedd ef yn llawn cyffro. Roedd 'na dyrfa fawr yn mynd i ddod ddydd Sadwrn, meddai. 'Maen nhw'n dod ata i o hyd i ddweud eu bod nhw'n cefnogi. Wrth gwrs, alla i ddim dychmygu pwy mewn gwirionedd fasa isio cael y pwerdy 'na, elli di?'

'O, dwn i'm. Mae Rod isio, wedi'r cwbl. A'i dad o.'

'Dim ond oherwydd fod Mr Lawson yn un o'r prif beirianwyr. Dwi'n clywed bod yr adeiladwyr yn mynd i fod wrth eu gwaith bnawn dydd Sadwrn, felly dwi'n meddwl y dylen ni flocio'r giât—be wyt ti'n feddwl?'

'Falla.'

'Wyt ti'n iawn? Dwyt ti ddim yn dechrau cael y ffliw, wyt ti? Allwn ni ddim gwneud hebot ti.'

'Na, dwi'n iawn. Dim ond braidd yn flinedig.'

'Dydi hynny ddim yn beth arferol iawn i ti, Josie.'

'Mae pawb yn teimlo'n flinedig weithia, Jack.'

Wrth iddi lusgo'i thraed yn ôl am adre, teimlai fel petai ei choesau'n fagiau llawn o dywod. Roedd yn ysu am ei gollwng ei hun ar y gwely a chysgu am oriau.

Roedd ei mam yn ei stafell yn darllen.

'Dydw i ddim am fynd ddydd Sadwrn, Mam,' meddai Josie.

*   *   *   *

Chysgodd hi na'i mam ddim yn dda y noson honno. Ddywedson nhw fawr wrth fwyta'u brecwast, ond cyn

iddi fynd i'r ysgol dywedodd Josie na fyddai'n dod adre'n
syth yn y pnawn.

'Oes dim ots gynnoch chi?'

'Nac oes, wrth gwrs.' Siaradai ei mam mewn ffordd
fecanyddol, heb edrych arni. Roedd hi'n eistedd yn ei
gŵn nos gyda'i dau benelin ar y bwrdd a'i phen rhwng ei
dwylo yn rhythu i'w chwpan goffi wag. Dyfalai Josie
tybed a âi'n ôl i'w gwely wedi iddi hi fynd allan. Cyn i'w
thad farw, arferai ei mam fod yn ddynes fywiog iawn,
bob amser ar fynd; bu ganddi swydd lawn-amser fel
ffisiotherapydd, ac âi allan i'r theatr neu'r sinema fin
nos, ac i ymweld â ffrindiau. Doedd ganddi ddim
ffrindiau yma, ar wahân i'w pherthnasau, gan fod y rhan
fwyaf o'i chyfeillion ysgol wedi symud i ffwrdd i fyw, ac
er iddi wneud ychydig o ymholiadau gwangalon am
waith, doedd fawr o obaith dod o hyd i swydd.

'Does dim rhaid imi fynd i dŷ'r Lawsons am swper,
Mam. Mi allwn ddŵad adre.'

Cododd ei mam ei phen. 'Paid â bod mor wirion, wrth
gwrs fod raid iti fynd.'

'Ond mae'n gas gen i'ch gadael chi ar eich pen eich
hun gymaint.'

'Ffwr' â chdi i'r ysgol, neu mi fyddi'n hwyr. Mi fydda
i'n iawn. Dwi i fod i fynd i weld y deintydd yn y pnawn,
ac rydw i am fynd i'r *launderette* y bore 'ma.' Gwnaeth
Mrs McCullough ei gorau i wenu.

'O Mam!' Taflodd Josie ei llyfrau i lawr a rhuthro'n ôl
ati. Rhoes ei breichiau am ei mam a'i dal gan ei siglo
ychydig, fel yr arferai ei mam wneud efo hi pan oedd hi'n
fach ac angen cysur. 'Falla na ddylen ni ddim bod wedi
gadael Belfast.'

'Roedd yn ymddangos yn syniad da i fynd i ffwrdd ar y pryd.'

'Mi allwn ni bob amser fynd yn ôl.'

'Wel, gawn ni weld. Dos rŵan, 'nghariad i, neu mi fyddi di'n hwyr go-iawn! A phaid â phoeni amdana i!'

Roedden nhw bob amser yn dweud wrth ei gilydd am beidio â phoeni.

Cododd Josie ei llyfrau a rhedeg. Teimlai'n euog pan adawai ei mam ar ei phen ei hun. A theimlai'n euog hefyd am fod raid iddi ddweud wrth ei ffrindiau na fyddai yno i'w cefnogi fore dydd Sadwrn. Yn enwedig gan mai'i syniad hi oedd o yn y lle cyntaf!

Roedd Rod yn aros amdani ar gornel ei stryd. 'Rwyt ti'n hwyr,' meddai. 'Rwyt ti bob amser yn hwyr.'

'Mi fasat titha hefyd 'tasat ti'n byw bywyd fel fi. Mi ddylat ti fod wedi mynd yn dy flaen.'

'Wel mi arhosais i, yn do?' Gafaelodd yn ei llaw rydd.

Beth am beidio â mynd i'r ysgol, meddyliodd; beth am fynd i ffwrdd i rywle am y diwrnod? Gad inni anghofio am dy deulu di a 'nheulu i, am ynni niwclear, a dadleuon dros ac yn erbyn, ac am Hamlet ac Ophelia! (Roedd ei thraethawd yn drychinebus, wedi'i sgriblo ar frys tua hanner nos, a phetai'r athro'n ei daflu'n ôl ati, welai hi ddim bai arno.) Efallai y deuai Rod efo hi petai'n pwyso arno, ond dim ond achosi mwy o drwbwl wnâi hynny, efo pawb.

'Gwell inni redeg,' meddai hi.

*   *   *   *

Amser cinio aeth Josie ac Anna draw i edrych am Emma ac fe ddywedodd Josie wrth y ddwy arall na fedrai fynd ar yr orymdaith ddydd Sadwrn.

'O wel,' meddai Anna, 'mae'n rhaid ichi gael to uwch eich penna, on'd oes?'

'Os byth y cewch chi'ch troi o 'na,' meddai Emma, 'mi allwch ddod yma.'

Diolchodd Josie iddi, gan wybod, hyd yn oed petai'n bosib iddyn nhw dderbyn y cynnig am noson neu ddwy, na allen nhw ddim aros yn hwy. Roedd pedwar o blant gan yr Hunters fel roedd hi.

'Mae'n siŵr ei fod o'n wych gallu *rheoli* dy fywyd, on'd ydi?' meddai Anna.

'Mae'n siŵr,' cytunodd Josie'n frwd. Neithiwr, a hithau'n gorwedd yn effro gan wrando ar y gwynt yn rhuo o gwmpas y to, fe ystyriodd sut y gallai gael rheolaeth ar ei bywyd, ac fe ddaeth i'r casgliad mai'r unig ateb oedd ennill tipyn o arian.

'Mi allet ti bob amser gael swydd yn yr atomfa,' meddai Anna.

'Yn sgubo'r gwastraff niwclear!' meddai Josie, a chwarddodd y tair.

*   *   *   *

Doedd dim arwydd o wastraff o unrhyw fath yn yr orsaf bŵer. Roedd popeth fel pin mewn papur. Tiwbiau, pibellau, boileri, generaduron, pinnau tanwydd, cotiau gwynion y gweithwyr—disgleiriai popeth gan newydd-deb. Wrth gwrs, doedd yr orsaf ddim wedi dechrau gweithio eto.

'Ond hyd yn oed ar ôl inni ddechrau gweithio,' meddai Mr Lawson, 'mi fydd yn dal i fod yn lân iawn. Dyna un o brif fanteision y lle.'

'Os na ddigwyddith 'na ddamwain,' meddai Josie, gan

symud mymryn ar ei het galed a oedd ychydig yn rhy fawr iddi.

'Fel dwi'n dal i ddeud wrthat ti, Josie, chydig iawn iawn o siawns sydd 'na i hynny ddigwydd. Mae'r systema i gyd yn berffaith ddiogel. Am bob nam a *allai* ddigwydd, mae 'na ddau amddiffyniad. Nid mater o un dyn yn gwneud camgymeriad ydi o.'

'Ond fe allech chi gael cyfres o gamgymeriada dynol.'

'Os digwyddith 'na un camgymeriad, dim ots pa mor bitw, yna mi fydd y system yn ymateb ac mi fydd yr adweithydd yn cau'n otomatig, ac mi fydd yn amhosib ei danio fo eto heb gael archwiliad llawn gan Arolygwyr y Gorsafoedd Niwclear. Dydi o ddim fel injan car yn diffodd, a'i switsio hi ymlaen wedyn.'

Roedd Rod wedi symud i ffwrdd oddi wrthynt i gael cip arall ar y tyrbinau.

'Ond mae'n rhaid fod ganddyn nhw system ddiogelwch debyg yn Chernobyl a Three Mile Island,' meddai Josie.

'Fedrai'r math o ddamwain ddigwyddodd yn Chernobyl byth ddigwydd yma,' meddai Mr Lawson ac fe ddylai gymryd ei air am hynny. 'Mae'r peryglon wedi'u dileu'n gyfan gwbl.'

Oedd o'n credu hynny? meddyliodd. Oes 'na unrhyw sefyllfa lle mae pobl yn gweithio'r paneli rheoli sy'n gwbl ddiberyg? Roedd hi a thad Rod fel petaen nhw un bob ochr i ffens dal, heb obaith i'r un ohonyn nhw ddringo drosti. Roedd hi'n credu ei fod o'n credu'r hyn a ddywedai, ond allai hi mo'i gredu.

Allai hi ddim amgyffred cymhlethdod popeth a ddywedai wrthi, doedd ganddi ddim gobaith. Roedd hi'n edmygu'r clyfrwch a'r soffistigeiddrwydd oedd y tu ôl i beirianneg y lle, a theimlai bron yn benysgafn wrth feddwl mor enfawr oedd y cyfan, er bod ganddi ryw syniad niwlog sut roedd yn gweithio. Roedd hi wedi casglu fod y gwres a gynhyrchid wrth hollti'r atomau yn cael ei drosglwyddo i'r boileri trwy gyfrwng nwy oeri, ac yna fod y stêm a gynhyrchid yn y boileri yn mynd i'r tyrbinau a yrrai'r generaduron. Cerddasant o adeilad i adeilad gan edrych ar beipiau a pheiriannau anferth ac roedd hi hyd yn oed yn gallu eu hedmygu fel peiriannau. Gallai ddeall pam yr oedd rhywun am fod yn beiriannydd. Ond nid peiriannydd niwclear chwaith.

'Gadewch inni fynd i'r stafell reoli,' meddai Mr Lawson.

Roedd yn stafell fawr, gydag ynys yn y canol yn llawn o switsiau a sgriniau, a phaneli rheoli eraill ar hyd y waliau i gyd. Gwnâi iddi feddwl am ffilm James Bond. Gallai ddychmygu terfysgwyr yn rhuthro i mewn ac yn chwarae gyda'r switsiau. Chwarddodd Mr Lawson.

'Allen nhw ddim cyrraedd mor bell â hyn heb i'r larwm ganu.'

'Ond beth petai un o'r peirianyddion yn mynd yn orffwyll?'

'Does byth lai na thri ar ddyletswydd ar yr un adeg. Mi allai'r ddau arall reoli'r sefyllfa. Mi fyddai'r adweithydd yn ei droi ei hun i ffwrdd. Ti'n gweld, Josie, rydan ni *wedi* meddwl am bopeth.'

Aethant i fyny i swyddfa Mr Lawson am goffi a rhoddodd yntau far o siocled cnau iddyn nhw.

'Wyt ti'n hoffi cnau Brasil?'

'Dwi'n gwirioni arnyn nhw. Dyna fy hoff gnau i.'

'Wyddet ti eu bod nhw'n ymbelydrol?'

Rhoes Josie'r gorau i gnoi, nid oherwydd fod y syniad

o ymbelydredd y cnau yn codi ofn arni, ond am ei bod yn amau fod y siocled wedi'i brynu'n arbennig er mwyn gwneud y pwynt hwnnw.

'Maen nhw ugain mil o weithiau'n fwy ymbelydrol na ffa pob,' meddai Mr Lawson.

Am funud roedd hi mewn penbleth, ac yn meddwl fod y bar siocled yn crynu yn ei llaw. Yna dywedodd wrthi'i hun, Paid â chael dy dwyllo—defnyddia dy goconyt! Dywedodd yn araf, 'Ond allech chi ddim cael dôs farwol o ymbelydredd wrth fwyta cnau Brasil, yn na allech? Hynny ydi, mi fasach chi'n tagu i farwolaeth ymhell cyn cyrraedd y pwynt yna.'

'Digon gwir,' cyfaddefodd. Felly roedd hi wedi ennill pwynt! 'Ond mae 'na ymbelydredd hyd yn oed yn ein tai ni—mae'n dod o'r stwff sy'n cael ei ddefnyddio i ynysu'r waliau a'r to.'

'Mr Lawson, mi *wn* i fod raid inni fyw efo rhywfaint o ymbelydredd . . .'

'Yr hyn dwi am i ti'i sylweddoli ydi nad ydi swm rhesymol o ymbelydredd ddim yn ddrwg o gwbl.'

'Nid y symia rhesymol sy'n fy mhoeni i.'

'Dwi'n meddwl ei bod hi'n bryd i ni fynd,' meddai Rod. 'Mi fydd Mam wedi gwneud swper yn barod.'

Aethant yn ôl i lawr i'r Lobi Dderbyn, dychwelyd eu hetiau a cherdded ar draws y safle trwy'r ddwy ffens ddiogelwch at y brif giât. Roedd Josie'n falch o anadlu awyr iach unwaith eto. Roedd ganddi fymryn o gur pen. Gollyngwyd hwy allan gan y swyddog diogelwch.

Wrth iddyn nhw fynd i'r car, dywedodd Mr Lawson, 'A be wyt ti'n feddwl rŵan 'ta, Josie?'

'Wel, dwi *yn* edmygu clyfrwch y peirianyddion a phopeth felly ac mi alla i weld fod y safona diogelwch *yn* uchel iawn, ond os oes 'na bosibilrwydd bychan i ddamwain ddigwydd, yna mae'n bris rhy uchel i'w dalu. Wedyn dyna'r cwestiwn o wastraff niwclear . . .'

'Ddylen ni ddim cychwyn adre?' meddai Rod yn ddi-amynedd.

Fe ddanfonodd ef hi adre yn ddiweddarach y noson honno a buont yn sgwrsio am deithio. Efallai, meddent, y gallen nhw fynd i ffwrdd yr ha nesaf, efo'i gilydd. Fe allen nhw deithio ar draws Ewrop, mynd dros yr ha i gyd, a mynd â phabell efo nhw, neu fynd ar feics, a byw'n rhad . . . Mi fasa hynny'n braf, meddent, beth am roi cynnig arni? Mi fasa'n rhywbeth i edrych ymlaen ato trwy'r gaeaf, meddai Rod, trwy'r wythnosau o chwysu ar gyfer safon A. Ond sut y gallai hi adael ei mam am haf cyfan, a hithau'n cael digon o drafferth i'w gadael am noson? Ddywedodd hi mo hynny wrth Rod chwaith.

A hwythau'n sefyll y tu allan i giât tŷ'r Oswalds, buont yn trafod pa wledydd y byddent yn ymweld â nhw. Awstria, meddai Rod, a'r Swistir. Roedd o'n hoffi gwledydd mynyddig. Ffrainc, meddai Josie, a'r Eidal; o, a Groeg, hefyd, roedd yn rhaid iddi fynd i Roeg. Pam aros yn fan'no? meddai Rod, waeth iddyn nhw fynd i Dwrci hefyd.

'Ai ti sy 'na, Josephine?' meddai llais o'r drws.

'Naci,' meddai'n ddistaw, 'actor yn gwisgo dillad Josie sy 'ma.'

'Wyt ti am ddod i mewn 'ta?' meddai Yncl Frank. 'Dwi'n aros i gloi'r tŷ am y nos.'

Roedd golau ei mam yn dal ymlaen. Roedd Josie wedi hanner gobeithio y byddai wedi mynd i'w gwely a theimlai'n euog iddi feddwl y fath beth o gwbl. Teimlai'n euog hanner yr amser ar hyn o bryd, am rywbeth neu'i gilydd. Am fod ganddi hen ddigon i fod yn euog yn ei gylch, dyna fuasai'r 'UFO' wedi'i ddweud petai'n gallu darllen ei meddwl. Ei meddyliau oedd yr unig bethau y gallai eu cadw'n breifat rhagddo.

Synnodd weld ei mam yn edrych yn fwy sbriws a siriol nag yn y bore.

'Josie,' meddai Mrs McCullough ar unwaith, 'mae'n rhaid iti fynd ar yr orymdaith ddydd Sadwrn.'

Rhythodd Josie arni.

'Dwi'n ei feddwl o! Ddylwn i 'rioed fod wedi gofyn iti beidio.'

PENNOD 5

'Mi sylweddolais i 'mod i'n hunanol,' meddai Mrs McCullough, 'cyn gynted ag yr aethost ti allan y bore 'ma. Dwyt ti ond yn gneud yr hyn rwyt ti'n ei gredu sy'n iawn, wedi'r cwbl—ac yn fwy na hynny, rydw *i'n* credu ei fod o'n iawn hefyd.'

'Ydach chi'n siŵr, Mam?'

'Hollol siŵr.'

Roedd Josie wedi rhyfeddu at y newid yn ei mam. Roedd hi'n swnio'n debycach i'r ddynes yr arferai fod.

'Peth arall sylweddolais i, Josie, oedd y dylwn i *neud* rhwbath. Allwn i ddim eistedd fan hyn yn yr atig 'ma yn boddi mewn hunandosturi. Faswn i ddim yn driw i dy dad 'taswn i'n gneud hynny.'

'Ond roedd o'n ddigon dealladwy.'

'Hwyrach ei fod o. Ond mae'n rhaid i fywyd fynd yn ei flaen.'

'Felly be 'dach chi wedi'i neud?' gofynnodd Josie, achos roedd hi'n amlwg fod ei mam wedi gwneud rhywbeth.

'Wel, mi ddechreuais siarad efo'r deintydd, a sôn fel y baswn i'n hoffi cael gwaith . . .'

'Ac mi gynigiodd swydd i chi?'

'Ddim yn hollol. Ond mi gynigiodd stafell yn ei dŷ fel y gallwn i roi gwasanaeth ffisiotherapi. Mi ddwedodd y gneith o 'nghymeradwyo fi i'w gleifion, ac mi alla i hysbysebu hefyd.'

'Gwych!'

Llamodd Josie i gofleidio'i mam, a phrotestiodd honno dan chwerthin a dweud y buasai Josie yn ei mygu wrth ei gwasgu gymaint, ac nad oedd y breuddwyd wedi'i wireddu eto, a hithau heb 'run cwsmer hyd yn hyn. Ond roedd yn obeithiol y byddai ganddi un yn fuan. Oedd, roedd hi'n optimistaidd. Am y tro cyntaf ers misoedd.

'Ond beth amdana i'n mynd ar yr orymdaith, Mam, a ninna'n cael ein taflu allan?'

'Dydw i ddim yn poeni cymaint am hynny rŵan. Mi wynebwn ni'r peth os bydd raid, ond dwi'n ama oes ganddyn nhw'r wyneb i fynd yr holl ffordd.'

*   *   *   *

Fel yr âi'r dyddiau heibio, a dydd Sadwrn yn nesu, cynyddai'r cyffro ymysg trefnwyr yr orymdaith. Cynhalient gyfarfodydd bob dydd, efallai fwy nag oedd eu gwir angen ar gyfer trefnu, ond roedd yn dda iddyn nhw fod efo'i gilydd. Ac fel y dywedent wrth ei gilydd, roedd raid iddyn nhw wybod yn union beth fyddai eu strategaeth, a beth fydden nhw'n ei wneud ar ôl cyrraedd giatiau'r safle. Byddai'n rhaid i rywun wneud araith, yn un peth.

'Mi fedri di wneud hyn'na, Josie,' meddai un o'r bechgyn, Paul Peters. 'Mae o jyst y peth i ti.'

Dechreuodd brotestio ond torrodd Anna ar ei thraws gan ddweud, 'O dos o 'na, rwyt ti'n fwy o hen geg na'r un ohonon ni!'

'Diolch yn fawr iawn!' meddai Josie, ond, mewn gwirionedd, roedd hi'n eitha hoffi'r syniad o siarad yn gyhoeddus.

'Hei, mi allet ti fod yn Aelod Seneddol,' meddai Anna. 'Mi fydd hyn yn ymarferiad da.'

'Wel, pwy ŵyr?' meddai Josie dan wenu.

'Pa blaid?' gofynnodd Emma.

'O, *dim un* blaid. Mi fydda i'n Annibynnol.'

Roedd 'na rywbeth arall i benderfynu arno, meddai Jack, a hynny oedd a ddylen nhw wneud unrhyw beth a fyddai'n groes i'r gyfraith, fel mynd dros y ffens neu orwedd i lawr ar y ffordd.

'Wela i ddim y basa hynny'n cyrraedd unrhyw amcan,' meddai Emma.

'Mi fasa'n cael sylw gan y cyfrynga,' meddai Phil.

'Dim ond am chydig funuda,' meddai Khalil.

'Ond os awn ni adre'n llywaeth fel ŵyn,' meddai Josie, 'yna mi fyddan yn meddwl eu bod nhw wedi cael y gora arnon ni, ein bod wedi cael ein gwrthdystiad ac y gallan nhw fynd ymlaen efo'u gwaith. Rhaid inni ddangos fod ein gwrthwynebiad ni'n gryfach na hyn'na.'

Roedden nhw wedi hollti hanner-hanner ar y pwynt. Yn y diwedd fe benderfynwyd fod y rhai oedd eisiau gwneud hynny yn gorwedd ar y ffordd ac yn rhwystro mynediad i'r safle, ac y gofalai'r rhai oedd yn erbyn fod yn rhydd i beidio heb i'r lleill ddigio.

'Os gorweddwn ni i lawr mi gawn ein restio, wrth gwrs,' meddai Jack. 'Rhaid inni fod yn barod am hynny.'

*   *   *   *

Nos Wener, roedd Rod am i Josie fynd efo fo i weld ffilm.

'Mae'n ddrwg gen i, Rod, mi faswn wrth 'y modd, wir, ond . . .'

'Mae gen ti gyfarfod!'

'Rhaid inni neud trefniada terfynol ar gyfer fory.'

'Prin dwi 'di dy weld di'r wythnos yma. Ar wahân i'r boreau ar y ffordd i'r ysgol . . . a hanner yr amser rhaid inni redeg oherwydd dy fod ti'n hwyr.'

'Mi elli di ddod i'r cyfarfod efo fi,' meddai Josie, efo'i thafod yn ei boch.

Wnaeth o ddim ateb. Cododd ei ysgwyddau a chicio carreg i'r gwter.

'Elli di ddim?' meddai, yn methu peidio â gwthio ychydig mwy.

'Na allaf,' meddai'n gwta.

Aethant ymlaen mewn distawrwydd gyda llathen o bafin yn eu gwahanu.

Roedd ei ben i lawr a'i wefusau wedi'u gwasgu'n dynn. Mi geith o bwdu, meddyliodd. Arno fo roedd y bai, beth bynnag—fo ddewisodd aros y tu allan. Yn raddol, darganfu fod pawb yn yr ysgol yn ymrannu'n ddau grŵp, ni a nhw. Y rhai oedd o'n plaid ni a'r rhai oedd yn ein herbyn. Roedd y pwnc yn rhannu'r dre.

'Mae gen ti obsesiwn ynglŷn â'r blydi busnes,' meddai Rod.

Cododd ei thymer hithau wedyn. 'Mae'n fater o fywyd a marwolaeth.'

'Rwyt ti'n mynd dros ben llestri rŵan.'

'O, dros ben llestri, ia? Mae'n syndod fod gen ti isio gwastraffu d'amser efo fi 'ta, on'd ydi?'

'Ydi, mae,' meddai yntau a llithro i lawr stryd gefn.

Cerddodd yn syth yn ei blaen heb edrych yn ôl. Brasgamodd i fyny'r rhiw i dŷ Anna a mynd rownd i'r cefn.

Mam Anna ddaeth i'r drws. 'O, ti sy 'na, Josie?' Roedd hi'n swnio'n llai croesawus nag arfer, meddyliodd Josie, ond efallai mai hel meddyliau roedd hi. Ond fe fyddai Mrs Gibson yn aml yn dweud ''y nghariad i' wrthi ac yn rhoi'r gorau i'w gwaith er mwyn cael rhoi'r byd yn ei le. Heddiw, heb air pellach, aeth yn ôl at y bwrdd smwddio yr oedd wedi'i adael wrth ddod i ateb y drws. Cododd grys a'i ledaenu dros y bwrdd. Deuai sŵn hisian o'r haearn-smwddio stêm wrth iddi ei wthio yn ôl ac ymlaen.

'Sut ydach chi heddiw?' gofynnodd Josie.

'O, iawn,' meddai Mrs Gibson, ond heb swnio'n argyhoeddiadol iawn.

'Ydi Anna i mewn?'

'Fyny'r grisia.'

Roedd Anna yn eistedd o flaen y bwrdd cardiau yn ei llofft yn copïo nodiadau Bioleg. Gollyngodd Josie ei hun ar y gwely.

'Dwi'n casáu Roderick Lawson,' meddai.

'Wir?'

''Dan ni wedi gwahanu. Dwi 'di gorffen efo fo.'

'Mi fetia i mai ffraeo ynglŷn â'r atomfa wnaethoch chi. Mae hi'n achosi peth goblyn o drafferth,' meddai Anna yn ddigalon.

'Anna, dwyt *ti* ddim yn mynd i'n gadael ni!'

'Wrth gwrs ddim. Be wyt ti'n feddwl ydw i? Dydw i ddim cymaint o gachgi â hyn'na. Ond mae Mam wedi clywed, a dydi hi ddim yn licio'r peth o gwbl. Ddim o gwbl. Mi glywodd Dad y bore 'ma ei fod o wedi cael gwaith yna, ti'n gweld, yn gyrru trỳc.'

'Naddo 'rioed!'

'Do!' meddai Anna.

*   *   *   *

Wrth wneud ei dyletswyddau yn siop ei hewyrth, mwmiai Josie wrthi'i hun, dan ei gwynt, ei meddwl ar yr orymdaith yn hytrach na'r paceidiau o dintacs a'r tuniau o baent roedd hi'n eu gosod yn eu trefn. Ym mhen draw'r siop roedd yr 'UFO' yn eistedd tu ôl i'r cownter yn ei gôt frown-golau yn gwneud y cyfrifon. Roedd am iddi hithau wisgo oferôl hefyd, ond roedd hynny'n mynd yn rhy bell. Casâi hi oferôls, a'r lliw brown-golau—os gellid ei alw'n lliw go-iawn o gwbl. Bore heddiw roedd hi'n gwisgo siwmper goch a throwsus melfaréd gwyrdd. *Red and green should never be seen, except on the back of an Irish queen.* Gwenodd wrth geisio canu'r geiriau yn ei phen.

'Amser agor,' meddai Yncl Frank, gan godi'i ben.

Dadfolltiodd Josie'r drws a mynd allan ar y pafin am funud. Dallwyd hi gan yr haul. Roedd rhagolygon y tywydd wedi sôn am gawodydd yn y pnawn.

Pan aeth yn ôl i mewn dywedodd ei hewyrth, 'Dwi'n falch dy fod ti wedi penderfynu bod yn rhesymol, Josephine.' Ddywedodd hi ddim gair.

Canodd cloch y drws i'r cwsmer cyntaf ddod i mewn. Tad Rod oedd yno.

'A! bore da, Mr Lawson,' meddai Yncl Frank, a oedd wedi rhuthro i lawr canol y siop pan welodd pwy oedd y cwsmer. Casâi Josie'r ffordd yr oedd yn cynffonna i'r cwsmeriaid yr oedd yn eu hystyried yn 'well' nag ef ei hun. Gadawodd hwy i drafod paent addas ar gyfer bathrwm y Lawsons.

'Hwyl, Josie,' galwodd Mr Lawson arni, ar ôl i'w barsel gael ei glymu. 'Mae'n ddrwg gen i na alla i ddim dymuno lwc dda i ti ar yr orymdaith heddiw 'ma.'

'O, dydi hi ddim yn mynd ar unrhyw orymdaith,' meddai Yncl Frank.

'Dydi hi ddim?'

'Nac ydi, Mr Lawson, dydi hi ddim. Mae hi wedi dŵad at ei choed, dwi'n falch o ddeud.'

Yn fuan ar ôl un ar ddeg o'r gloch, cyrhaeddodd Anna yn edrych fel petai heb gael dim cwsg. Arweiniodd Josie hi y tu ôl i resel o sosbenni.

'Dyfala be? Mi ddechreuodd Dad weithio bore 'ma! Mi aeth rhywun yn sâl ac roedd raid cael rhywun i gymryd ei le ar unwaith.'

'Josephine!' galwodd Mr Oswald, a oedd yn craffu efo llygaid croes arnynt trwy'r bylchau rhwng y sosbenni. 'Cwsmer.' Roedd gwraig yn camu trwy'r drws.

'Mi alla fo ddelio efo hi ei hun,' mwmiodd Josie. 'Yr hen sinach o "UFO" ddiawl! Arhosa'n fan hyn, Anna!'

Eisiau paced o gadachau llestri oedd ar y wraig. Wrth i Josie fynd i'w hestyn iddi, gallai glywed ei hewyrth yn dweud wrth Anna, 'Ga i'ch helpu chi?' ac Anna yn dweud, 'Na, mae'n iawn, diolch. Dwi'n aros i gael sgwrs efo Josie.' 'Mae hi'n brysur.' 'O, mi arhosa i.'

Ar ôl i'r wraig fynd, aeth Josie'n ôl at Anna. Daliai ei hewyrth i hofran yn eu hymyl fel gwyfyn brown anferth. Biti na allai Josie ei hel i ffwrdd. Neu roi sweipan iddo efo un o'r petha-lladd-pryfaid 'na. Teimlai fel giglan wrth feddwl am y peth. Symudodd y ddwy ferch yn raddol tua'r drws efo'i gilydd; dilynodd ef hwy. Hebryngodd Josie ei ffrind allan ar y pafin.

'Paid â theimlo fod raid iti ddod ar yr orymdaith. Nid os ydi o'n mynd i achosi gormod o drwbwl iti gartre.'

'Dwn i ddim be i'w neud.' Rhwbiodd Anna ymyl y pafin efo blaen ei throed.

'Josephine!' galwodd y llais o'r tu mewn.

'O, cau dy hen glep! Mae'n well i mi fynd yn ôl i mewn. Dy weld ti'n nes ymlaen, falla, Anna.'

'Falla. Rhaid imi feddwl.'

'Mae 'na ormod o waith i'w wneud i ti sefyll yn sgwrsio

efo dy ffrindia,' dechreuodd Mr Oswald, ond cerddodd Josie heibio iddo a thrwy'r drws cefn ac i'r tŷ bach, efo'i breichiau ymhleth. Byddai angen amynedd sant arni i'w ddiodde fo, ac roedd hi'n bell o fod yn sant. Agorodd y ffenest a sbecian allan ar y lôn gefn. Roedd cath goch yn cropian ar hyd y wal ar drywydd rhywbeth na allai ei weld. Teimlai'n eiddigeddus o'i rhyddid.

Chwarter awr yn ddiweddarach, cyrhaeddodd ei mam. Tynnodd ei chôt a gosod ei bag llaw tu ôl i'r cownter. Rhythodd Mr Oswald arni.

'Dwi wedi dod i gymryd lle Josie, Frank.'

'Be wyt ti'n feddwl, felly?'

'Dwi'n cymryd ei lle hi am weddill y dydd.'

'Cymryd ei lle hi?'

'Ia, mae'n rhaid iddi fod wrth neuadd y dre am hanner dydd.'

PENNOD 6

'Fasa'n werth iti weld wyneb yr "UFO"!' meddai Josie
wrth Emma, a oedd yn sefyll, yn edrych braidd yn welw,
yn swatio efo nifer o rai eraill tu allan i neuadd y dre.
'Ro'n i'n meddwl ei fod o'n mynd i ffrwydro i'r awyr.'

'Ond wnaeth o ddim ceisio dy rwystro di?'

'Sut gallai o?'

'Ffwr â chdi, 'ta,' oedd geiriau Mrs McCullough, ac
roedd Josie wedi diflannu, dan redeg, a chau'r drws ar
sŵn lleisiau uchel ei mam a'i hewyrth.

Roedd mwy o bobl yn cyrraedd, ond doedd dim golwg
o Anna hyd yn hyn. Chwifiodd Josie ei llaw ar ei hathro
Hanes, Mr Greig. Roedd ei wraig efo fo, a'u dau blentyn
ifanc, un yn cerdded, a'r llall mewn pram, a siaradent efo
pâr arall gyda thri o blant. Daliai gŵr yr ail deulu boster
gyda'r geiriau hyn arno:

MYNNWN DDYFODOL DIOGEL I'N PLANT!

Cariai'r holl drefnwyr bosteri. Yr un neges oedd tu ôl
i bob un, ond bod geiriau'r sloganau—wedi'u peintio
mewn lliwiau llachar—oren a choch a gwyrdd—yn
amrywio rhyw ychydig.

PEIDIWCH AG ANGHOFIO CHERNOBYL!

DIM YNNI NIWCLIAR!

GALLAI DDIGWYDD YMA!

RHAID SICRHAU'R DYFODOL!

DIOGELWN EIN DYFODOL!

'NA' WRTH YNNI NIWCLEAR!

'Dacw Mam,' meddai Emma, a chwifio arni, 'efo'i
ffrind Mrs Harman. A dacw'r ficer!'

'Biti nad ydi'r "UFO" ac Anti Glad yma i weld hyn'na,'
meddai Josie. 'Aros i mi gael deud wrthyn nhw!'

'Dyma'r gyfraith yn dod rŵan!' meddai Phil.

Troesant i weld fan plismyn yn nesu. Dringodd nifer o gwnstabliaid allan o'r cefn—deg i gyd—mewn cotiau glaw a helmedau ac yn cario radios dwyffordd. Roedden nhw dan ofal sarjiant, yr un a welodd Josie y noson y cafodd ei harestio. Cariai gorn siarad yn ei law. Y foment y gwelodd hi ef, gwelodd yntau hi, ac edrychodd yn syth i'w llygaid am dri deg eiliad llawn.

'Mwy na thebyg ei fod wedi penderfynu 'mod i'n derfysgwraig broffesiynol,' meddai Josie. 'Mi glywais mai dyna sut maen nhw'n dosbarthu gwragedd Greenham. Dwi'n siŵr fod fy ffrind y Sârj yn meddwl 'mod i'n perthyn i'r IRA.'

'Bydd di'n ofalus rŵan, Josie!' meddai Emma. 'Rydan ni wedi penderfynu—dim *aggro*—hyd yn oed os byddan nhw'n ein cam-drin ni. Wnaen ni ennill dim trwy hynny.'

'Dwi'n gwbod, dwi'n gwbod!' Roedd Josie wedi rhoi darlith iddi'i hun yn ei gwely'r bore hwnnw, ynglŷn â chadw'i phen a hunanreolaeth yn gyffredinol.

'Mae hi'n ddeng munud wedi,' meddai Jack, gan fwrw cipolwg dros y rhai hwyr a oedd yn dal i lusgo tua'r sgwâr. 'Go brin fod Anna yn mynd i ddod.'

'Hei, rydan ni newydd gyrraedd mil!' meddai Khalil, gan glician y gyfrifiannell yn ei law. Fo oedd wedi cael y gwaith o gadw cyfrif.

Roedden nhw wrth eu boddau ynglŷn â hynny oherwydd gwyddent—am bob un oedd wedi dod—fod 'na ddeg arall neu gant neu hyd yn oed fil gartre a oedd naill ai'n methu neu'n hwyrfrydig i fynd allan i wrth-dystio, ond a oedd efo nhw o ran ysbryd. Fel Dr Hunter, yn sgwennu llythyrau (er na allai Josie beidio â meddwl y byddai'n well petai wedi dod; fe allai sgwennu llythyrau unrhyw bryd), neu nain Jack a fyddai wedi bod efo nhw oni bai fod arni angen cerbyd bach yr anabl i fynd o gwmpas. Roedd gweddill teulu Jack—ei fam, ei dad, ei frawd a'i chwaer—i gyd yn y dyrfa. Dyn tân oedd tad Jack. Fe ddywedodd nad oedd o'n ffansïo'i aberthu'i hun wrth ymladd tân mewn adweithydd niwclear.

'Dwi'n meddwl ei bod hi'n bryd inni ddechra, ydach chi ddim?' meddai Josie a nodiodd Jack. Allen nhw ddim aros dim hwy am Anna. Cododd Phil a Josie y brif faner, pob un ohonyn nhw'n dal polyn. Tonnai'r geiriau cochion yn yr awel.

'NA' WRTH YNNI NIWCLEAR!

Brasgamodd y Sarjiant tuag atynt. 'Dim mwy na phedwar mewn rhes! Dydan ni ddim am i'r ffordd gael ei chau. Rhaid i'r drafnidiaeth gael rhyddid i symud hefyd.'

Dechreuasant symud ymlaen, gyda Josie a Phil yn arwain, ac Emma a Jack un bob ochr iddyn nhw. Arhosodd Khalil wrth ochr y ffordd er mwyn iddo gael dal ati i gyfri. Teneuodd y dyrfa i ffurfio neidr hir yn gweu trwy strydoedd y dre. Gwahanodd y plismyn a dechrau cerdded wrth ochr yr orymdaith, gyda'r Sarjiant yn dal ar y blaen. Dechreuodd ychydig o bobl efo gitârs ganu alawon.

Chwifiodd rhai gwragedd arnynt oddi ar y palmant, a gweiddi, 'Rydan ni efo chi bob cam,' ond gwaeddodd un arall, 'Mae angen y swyddi ar ein gwŷr ni,' ac fe boerodd un dyn arnynt wrth iddyn nhw fynd heibio, a disgynnodd y poer ar goes Emma. Sgrytiodd Emma a rhwbio'r staen oddi ar ei jîns efo hances bapur.

'Y mochyn budur!' meddai Josie, a fuasai wedi rhedeg ar ôl y dyn oni bai fod ganddi faner i'w chario. 'Biti na fasa fo wedi poeri dipyn ymhellach.' Nodiodd ar gefn stiff y Sarjiant.

'Taw rŵan,' meddai Emma.

Troesant i'r stryd lle'r oedd siop Mr Oswald. Wrth iddyn nhw fynd heibio iddi, edrychodd Josie wysg ei hochr, a dyna lle'r oedd, y tu ôl i'r drws, yn edrych heibio'r arwydd AR AGOR. Cododd ei llaw arno a sleifiodd y gôt frown-golau yn ôl, o'r golwg, ond nid cyn iddi gael cipolwg ar ei wyneb. Fe fyddai'n siŵr o chwarae'r diawl pan gyrhaeddai'n ôl!

Daethant at ymyl y dre ac erbyn hyn cerddent trwy wlad agored. Tywynnai'r coed, coch, oren ac aur, yn yr heulwen ddisglair. Arogleuai'r awyr yn ffres a glân. Roedd yn anodd dychmygu y gallai byth gael ei llygru, meddyliodd Josie, wrth iddi symud y polyn ryw ychydig i esmwytho'r pwysau ar ei braich dde. Mor llygredig nes y buasai unrhyw un a'i hanadlai yn mynd yn sâl a marw, fel y gwnaethant yn Hiroshima, neu yn Chernobyl.

Buasai wedi bod yn ddiwrnod da i fynd am dro hir, dros y caeau, neu ar lan y môr, fel y gwnaethai hi a Rod y Sadwrn cynta. Buont yn casglu cregyn ac yn taflu cerrig llyfn gwastad trwy'r tonnau. Ac yn cerdded yn droed-noeth ar y tywod gan adael ôl eu traed ar eu holau. Fe gerddasant efo'u breichiau am ganol ei gilydd. Tybed beth oedd Rod yn ei wneud bnawn heddiw?

*   *   *   *

Roedd yn paratoi coelcerth yn ei ardd gefn. Fe sgubodd y dail sych oddi ar y llwybrau a thocio'r coed rhosod a gosod y brigau toredig ar y domen. Yn y gwanwyn bwriadai greu gardd gerrig. Roedd yn mwynhau garddio.

Gwnâi iddo dawelu pan fyddai'n teimlo'n anesmwyth. Teimlai'n anesmwyth pnawn heddiw.

Dyfalai sut orymdaith oedd hi. Aeth i'r atig er mwyn cael ei gweld yn mynd heibio ddwy stryd yn is i lawr ac roedd wedi clywed cymal neu ddau o fiwsig trwy'r ffenest agored. Ymddangosai'r dre yn dawel iawn er y gwyddai nad oedd y rhan fwyaf o bobl allan yn gorymdeithio. Mwy na thebyg eu bod yn eistedd gartref o flaen y teledu yn gwylio *Grandstand!*

Sut hwyl oedd Josie'n ei gael, tybed? Gallai ei dychmygu'n brasgamu ymlaen, ei gwallt du'n chwifio, yn barod ar gyfer unrhyw beth. Roedd hi'n hurt, yr hogan yna, mor benboeth! Gobeithiai na wnâi ddim byd gwirion a chael ei harestio unwaith eto. 'Fasat ti byth yn gneud dim byd gwirion, fasat ti, Rod?' meddai wrtho unwaith, ac roedd yn dal i gofio'i geiriau, yn gwingo y tu mewn i'w ben, fel nadredd yn symud yn dorchau araf. Oedd hynny'n wir? Ac os oedd, pa ots? Doedd o ddim yn siŵr iawn. Roedd ganddo dymer fel matsien, 'run fath â hi, ond unwaith y taniai, fe fyddai'n tawelu'n fuan iawn, ac anaml iawn y gwnâi ddim byd byrbwyll yng ngwres y foment. Er ei *fod* wedi cerdded i ffwrdd oddi wrthi ddoe. Llawn cystal, gan eu bod mor wahanol. Rhy wahanol i fod yn gyfforddus. Doedd y deg wythnos efo hi ddim wedi bod yn gyfforddus o gwbl. Gwenodd wrth feddwl am y peth.

Taniodd fatsien, a gwylio'r fflam yn cydio mewn deilen gyrliog. Mewn ychydig eiliadau roedd tân yn cracio trwy'r twmpath o ddail a brigau. Tebyg i hyn'na oedd ei gyfarfyddiad ef â Josie. Cydiodd y tân yn gyflym, nes eu bod ill dau braidd yn fyr eu gwynt. Chawson nhw ddim amser i ystyried oedden nhw'n siwtio'i gilydd neu beidio.

Roedd hi wedi'i gyffroi ef o'r foment pan aethant i wrthdrawiad ar y cae chwarae yn ystod gêm bêl-droed fyrfyfyr. Rhedodd hi am y bêl a glanio'n union yn ei erbyn ef. Estynnodd ei freichiau allan i'w dal a phlygodd hithau'n ôl ac aros am eiliad gan edrych i fyw ei lygaid. Erbyn hynny roedd rhywun arall wedi cael y bêl ac roedd y chwarae wedi symud i ran arall o'r cae. Gadawyd y ddau'n sefyll yno'n edrych ar ei gilydd.

O hynny ymlaen roedd arno eisiau bod efo hi trwy'r amser. Roedd yn dal i fod! Ni allai wadu hynny.

'Mae gen ti goelcerth werth chweil yn fan'na, Rod,' meddai ei dad, gan gerdded tuag ato. Cwrcydodd ar stepen y tŷ gwydr a gwyliodd y ddau y mwg gwyn meddal yn esgyn i'r awyr lonydd. 'Aeth Josie ar y daith?'

'Mwy na thebyg.'

'Roedd ei hewyrth yn deud nad oedd hi am fynd. Ond prin ei fod o wedi llwyddo i newid ei meddwl hi, chwaith. Be wyt ti'n feddwl?'

'Na, go brin,' meddai Rod gan lwytho mwy o ddail ar y tân. Roedd calon y goelcerth yn tywynnu'n boeth.

'Mae hi'n hogan beniog. Ond yn gorymateb i'r posibil-rwydd o ddamwain, ti'n gwybod. Colli synnwyr cymes-uredd yn llwyr.'

'Does gen i ddim isio sôn am y peth ddim mwy,' meddai Rod.

'Olreit! Dwi'n hoff ohoni, cofia. Hoff iawn. Ac rwyt titha hefyd, mae'n amlwg. 'Dach chi'ch dau'n glòs iawn, on'd ydach?'

Sgrytiodd Rod ei ysgwyddau a phlygu dros y tân. Doedd arno ddim eisiau trafod Josie efo'i dad. Doedd arno ddim eisiau'i thrafod efo neb.

'Ddim yn cyfathrebu rhyw lawer pnawn 'ma, yn nac wyt?' gwenodd ei dad yn gam arno.

'Mae'n ddrwg gen i.'

'Paid â phoeni. Wela i chdi'n nes ymlaen, Rod.' Aeth Mr Lawson yn ôl i'r tŷ.

Diffoddodd Rod farwor y tân, a mynd ar ei feic i lawr i ganol y dre, ond heb anelu am unlle'n arbennig, meddai wrtho'i hun, er y cafodd ei hun yn troi i'r stryd lle'r oedd ewyrth Josie'n cadw siop. Roedd yr arwydd AR GAU wedi'i roi ar y drws; mae'n rhaid eu bod nhw wedi cau dros yr awr ginio. Teimlai'n isel ei ysbryd wrth edrych ar yr arwydd. Roedd hi'n bnawn hyfryd ac yntau heb unrhyw syniad sut i'w dreulio.

*   *   *   *

Wrth i'r orymdaith fynd yn ei blaen, deuai mwy a mwy o bobl i ymuno â hi yn y gynffon, nes bod bys Khalil yn dal i glician. Canent bob math o ganeuon gan gynnwys '*Fe Orfyddwn Ni*'. Sgwrsiai'r rhan fwyaf o'r plismyn yn gyfeillgar gyda'r gorymdeithwyr; roedd y Sarjiant yn dawedog iawn, ar wahân i weiddi rŵan ac yn y man, 'Cadwch i'r ochr, mae car yn dod.' Roedd yr awyrgylch yn hwyliog a siriol.

Ac yna daeth yr orsaf niwclear i'r golwg. Roedd wedi'i gosod yn union wrth y môr, ar ddarn llydan o dir wedi'i amddiffyn gan ffens uchel. Disgleiriai'r adeiladau'n wyn yn yr heulwen er bod cwmwl yn croesi'r haul fel y gwylient. Roedd y dyrfa'n dawel rŵan.

'Gwyliwch!' ffanfferodd y Sarjiant. 'Os na chadwch chi i'r ochr mi fydd rhywun yn cael ei ladd efo'r holl draffig 'ma ar y ffordd. Mae'n chwerthinllyd dod â phlant bach i rywbeth fel hyn.'

Agorodd Josie ei cheg fel petai am glochdar ei gwrth-wynebiad, ond caeodd hi eto. Cododd Emma ei bawd arni. Symudasant i'r ochr.

Tu allan i giatiau'r orsaf roedd rhyw hanner dwsin o blismyn eraill, yn cynnwys yr heddferch a siaradodd efo Josie ar y prom. Cofiodd Josie ei geiriau, *Mi faswn i yno efo chi . . .*

'Rhaid inni gofio nad ydi plismyn i gyd yn ddrwg,' meddai Emma mewn un cyfarfod, 'ne yn ein herbyn ni.' Roedd Emma'n gall. 'Mi wnâi les iti ddynwared tipyn ar Emma Hunter, Josephine,' meddai Anti Gladys lawer gwaith pan oedd yn iau, a bu bron i hynny droi Josie yn erbyn Emma. Ond roedd yn falch na wnaeth. Edrychodd ar ei ffrind a sylwi ei bod hyd yn oed yn fwy gwelw na phan gychwynson nhw, ac eto'n dal i frwydro 'mlaen yn ddewr.

'Wyt ti'n iawn, Em?' gofynnodd.

Nodiodd Emma. 'Ydw, yn iawn,' meddai hithau.

Arweiniodd Josie a Phil y dyrfa i lain fawr o dir diffaith gyferbyn â'r safle. Ffermwr lleol oedd biau'r tir ac roedd wedi rhoi caniatâd iddyn nhw'i ddefnyddio.

Wrth iddyn nhw ymdrefnu, disgynnodd ambell ddafn o law ar eu hwynebau. Wrth gael cip ar yr awyr, gwelent fod y cymylau'n drwchus ac yn dywyll. Ac yna sïodd beic i lawr y ffordd i'w cyfeiriad.

'Anna ydi hi!' gwaeddodd Emma.

Neidiodd Anna i lawr a thaflu'i beic ar y glaswellt. 'Whiw! Ro'n i'n meddwl y baswn i'n hwyr.'

'Felly mi newidiaist dy feddwl,' meddai Jack gan ei chofleidio.

'Sut y gallwn i *beidio* â dŵad?'

Roedd y wasg wedi cyrraedd hefyd, dau ddyn efo camerâu'n hongian o gwmpas eu gyddfau, a'u padiau nodiadau yn eu dwylo. Daethant i sefyll ar gyrion y dyrfa.

'Wyt ti'n barod, Josie?' gofynnodd Jack.

'Mor barod ag y bydda i byth,' meddai hithau, gan deimlo'n sâl ym mhwll ei stumog. Tawelodd Jack a Phil y dyrfa a safodd Josie ar ben bryncyn bach i gyfarch y gynulleidfa. Edrychent arni'n ddisgwylgar. Beth allai hi ei ddweud nad oedden nhw'n ei wybod yn barod? A'r fath wyneb oedd ganddi hi i areithio wrth rai ohonynt a oedd ddwywaith neu dair yn hŷn na hi!

'Diolch ichi am ddod,' dechreuodd ac aeth ei meddwl yn wag. Yn hollol wag. Gallai weld y sgrîn wag y tu mewn i'w phen. A dim byd arall.

PENNOD 7

Ymchwyddai'r môr o wynebau o'i blaen, nes ymdoddi'n un. Esgob mawr, doedd hi erioed yn mynd i lesmeirio! Doedd hi erioed wedi gwneud hynny o'r blaen ac nid fan hyn oedd y lle i ddechrau. Sgrechiodd babi a chysurodd ei fam ef. Clywodd lais mam yn dweud, 'Dyna ti rŵan, Andrew, dyna ti.' Teimlai fel petai'r byd ar ben arni. Ac yna daliodd lygad Mr Greig a nodiodd ef arni'n galonogol. Roedd fel petai'n dweud wrthi: 'Mi fedri di'i neud o.'

'Mae'n wych gweld cynifer ohonoch chi yma heddiw,' meddai, yn baglu dros ei geiriau braidd, 'mamau a thadau a phlant a neiniau hefyd! Fe wyddoch pam rydach chi yma—' Am funud ni allai feddwl pam *roedden* nhw yno. *Oedd* 'na bwynt mewn bod yno? Ara deg, rŵan, Josephine, dalia'r ffrwyn yn dynn arnat ti dy hun! 'Rydan ni yma am ein bod yn poeni am gael gorsaf niwclear ar garreg ein drws. Rydan ni yma am ein bod yn meddwl fod gynnon ni hawl i gael lleisio'n barn am ein dyfodol. Rydan ni yma am ein bod yn *poeni* am ein dyfodol.' Wrth fynd ymlaen dechreuodd godi stêm, a chyn bo hir roedd hi'n llefaru'n rhugl ac yn angerddol. Roedd yn ymwybodol o'r adrenalin yn llifo drwyddi, ac o ryw egni mawr yn ei chorff.

Tynnodd y dyn camera lun ohoni wrth iddi siarad. Tynnwyd lluniau o'r dyrfa hefyd, efo'u baneri a'u posteri.

Siaradodd Josie am ddeng munud, gan ddirwyn i ben gyda, 'Rydan ni'n mynnu cael ymchwiliad cyhoeddus newydd. Dwi'n eich annog i ddal ati i bwyso am un ymhob ffordd bosib!'

Cafodd gymeradwyaeth frwd.

'Da iawn!' meddai Jack gan daro'i chefn yn frwd.

'Roeddet ti'n wych,' meddai Anna a gwenodd Emma a nodio'i chytundeb. 'Er paid â chwyddo'n ormodol chwaith,' ychwanegodd Anna a phlygu i'r ochr arall wrth i Josie ei bygwth yn chwareus efo'i dwrn.

Daeth y ddau newyddiadurwr ymlaen i'w cyfweld. Beth oedden nhw'n ei gynllunio nesa? gofynasant. Lobïo'r Aelod Seneddol, meddent hwythau, sgwennu at y papurau newydd, ac at bawb y gallen nhw feddwl amdanynt, fel y Prif Weinidog, y Gweinidog Ynni a chynghorwyr lleol, ac annog eraill i sgwennu, mynd â deisebau o gwmpas; cael pobl i osod posteri yn y siopau.

'Ac ydach chi'n meddwl y bydd hynny'n dwyn ffrwyth?'

'Y peth lleia wneith o,' meddai Josie, 'fydd gneud pobl yn fwy ymwybodol o'r hyn sy'n digwydd.'

*   *   *   *

Am hanner awr wedi dau, digwyddai Rod fynd ar ei feic i lawr y stryd lle'r oedd siop Frank Oswald. Wrth iddo nesu at y siop gwasgodd ei frêcs yn galed nes ei fod yn mynd yn araf iawn. Pwy oedd wrthi'n datgloi'r drws ond ewyrth Josie, gyda'i wraig gefnsyth wrth ei ochr. Roedd y ffaith fod ei chefn mor syth yn cyfleu'r syniad ei bod yn crynu rhyw fymryn, fel llafn cyllell yn cael ei ddal yn dynn. 'Mae hi'n byw ar ddicter,' meddai Josie unwaith. 'Mae dicter fel olew ar dân iddi hi.' Gwenodd Rod wrth gofïo'i geiriau. Yna pwy a welodd yn dod o ben arall y stryd ond mam Josie, yn camu'n fân ac yn fuan, gyda rhyw ychydig o wrid ar ei hwyneb.

Wrth edrych yn ôl, gwelodd ei pherthnasau hi hefyd, ac aros. Cyrhaeddodd Rod y siop yr un pryd â Mrs McCullough.

'A, Rod!' cyfarchodd ef yn gynnes, yn falch o gael rhywbeth i dynnu'i sylw.

Rhoes ei droed ar y llawr a dweud helô.

'O helô, 'machgen i,' meddai Mrs Oswald. 'Doeddwn i ddim yn sylweddoli am funud mai ti oedd 'na. Allan am dro, wyt ti? Mae'n beth iachus i'w wneud ar bnawn Sadwrn. Gwell na beth mae rhai'n ei wneud beth bynnag.'

'Est ti ddim ar y brotest goblyn 'na 'ta, hogyn?' meddai Mr Oswald. 'Gormod o synnwyr cyffredin, dwi'n siŵr.'

Symudodd Rod yn anesmwyth, gan deimlo'n anfodlon bod mewn cynghrair efo'r 'UFO' a'i wraig yn erbyn Josie, ac eto'n methu gwybod beth i'w ddweud. Sgrytiodd, ac yna meddai, 'Maen nhw'n meddwl eu bod nhw'n gwneud y peth iawn.'

'Y peth *iawn!*' rhochiodd Mrs Oswald. 'Gorymdeithio efo baneri ar hyd y strydoedd. Fel caridỳms y strydoedd cefn.'

'Dwi'n dallt fod Mrs Hunter yno,' meddai Mrs McCullough.

'Mae hi'n ddynes neis,' meddai Mrs Oswald, 'ond yn cael ei chamarwain braidd, ddwedwn i.' A rhoddodd edrychiad doeth ar Rod fel petai'n disgwyl iddo gytuno.

'Wel, does 'na ddim i fynd i stêm ynglŷn â fo, Gladys,' meddai Mrs McCullough. 'Y cyfan mae Josie'n ei neud ydi cerdded ar hyd y ffordd i'r orsaf, gyda chaniatâd y polîs.'

*   *   *   *

Ond doedd gan Josie a'i ffrindiau ddim caniatâd i orwedd ar y ffordd, chwaith. Roedd ugain ohonyn nhw wedi penderfynu gwneud hynny.

Roedd y brotest drosodd, y dyrfa'n dechrau gwasgaru, ac yn ymlwybro'n ôl, yn flerach nag y daeth, tua'r dref. Tynnwyd sylw'r polîs at y sefyllfa.

'Mae 'na ddamwain yn mynd i fod yma, mi alla i weld hynny,' meddai'r Sarjiant a brasgamu i ffwrdd wrth i lori rwmblian rownd y tro gan beri i bobl neidio'n ôl i'r ochr.

'Iawn?' meddai Jack.

'Cym ofal!' meddai Emma.

'Tyd â ffeil winedd efo ti,' meddai Josie.

Croesodd yr ugain y ffordd yn gyflym. Gan afael yn nwylo'i gilydd, ymestynasant ar draws mynedfa'r orsaf a gorwedd ar lawr.

Ymatebodd y plismyn ar unwaith. Daeth gwaedd o enau un cwnstabl, a rhuthrodd y Sarjiant yn ôl, ei wyneb yn biws, a nifer o blismyn eraill wrth ei sodlau. A'r tu ôl iddynt daeth y lori, yn llawn dop o flociau concrid.

Cododd y Sarjiant ei gorn-siarad at ei geg. 'Rwy'n cynghori pawb i glirio o'r ffordd.' Roedd ei lais fel taran uwch eu pennau. 'Mae hwn yn dir preifat sydd ym meddiant y Bwrdd Trydan ac rydych yn torri'r gyfraith trwy dresmasu. Ac rydych yn creu rhwystr, ac mae'n rhaid imi'ch rhybuddio chi y gallech gael eich cyhuddo o hynny.'

Wnaethon nhw ddim ateb. Yr oeddynt yn dal i orwedd ar y llawr. Gorweddai Anna yn agos at Josie, eu breich-iau'n cyffwrdd, ac yn gafael yn nwylo'i gilydd. Gan droi'i llygaid i'r ochr, gwelodd Josie fod ei ffrind yn sbio i fyny, at gab y lori, a oedd wedi aros yn y fan honno. Pwy roddodd ei ben allan o ffenest y cab ond tad Anna.

Rhythai i lawr ar ei ferch fel petai'n methu credu'n iawn beth a welai.

Roedd yr awyr tu cefn i'r lori'n dywyll erbyn hyn, sylwodd Josie, yn dywyll a bygythiol iawn. Crynodd wrth deimlo'r oerni'n gafael ynddi. Roedd amser fel petai wedi aros yn llonydd. Ac roedd pobman yn rhyfedd o dawel. Meddyliodd am bobl yr Alban yn y ddeunawfed ganrif a'r bedwaredd ganrif ar bymtheg—grwpiau o wragedd yn aml iawn—yn ystod y Clirio Allan yn yr Ucheldiroedd ac fel y safasant ar y ffordd i rwystro'r beilïod rhag eu gyrru allan o'u cartrefi.

Ac yna dechreuodd lawio, yn ysgafn i ddechrau, ond wedyn fel llif allan o grwc. Codasant eu breichiau i gysgodi'u hwynebau.

'Reit, blismyn!' Clywodd Josie'r Sarjiant yn gweiddi uwchlaw sŵn y glaw. Erbyn hyn roedd hi'n siŵr y gallai nabod ei lais hyd yn oed mewn stadiwm bêl-droed yn orlawn o bobl.

A daeth y plismyn ymlaen i'w symud. Wnaeth y protestwyr ddim gwrthsefyll—roedden nhw wedi cytuno ar hynny—ond wnaethon nhw ddim cyd-dynnu chwaith. Gadawsant i'w cyrff fynd yn llipa, fel petaen nhw'n farw. Roedd rhai o'r plismyn yn weddol dyner, ond doedd eraill ddim. Doedd yr un a ddaeth at Josie ddim yn un dymunol. Doedd hi ddim wedi disgwyl iddo fod. Rywsut neu'i gilydd, roedd hi'n teimlo y bydden nhw'n rhoi gwaeth triniaeth iddi hi. Y Sarjiant ei hun ddaeth ati.

Wrth iddo'i thynnu gerfydd ei hysgwyddau ar hyd y llawr, gafaelodd yn ei gwallt, efallai mewn camgymeriad, ond go brin, a daliodd ati i afael. Brathodd ei gwefus yn galed. Doedd hi ddim yn mynd i sgrechian, *wnâi* hi mo hynny. Gwelodd ei bod mewn poen a gwelodd hithau'r olwg ar ei wyneb. 'Rwyt ti'n ei haeddu fo,' meddai, 'roeddet ti'n gofyn amdani.'

O fewn ychydig funudau, roedd yr ugain wedi cael eu llusgo ar draws y ffordd a'u rhoi i orwedd ar y llawr gyferbyn. Safai'r plismyn uwch eu pennau, yn eu herio i godi ar eu traed. Gollyngodd y Sarjiant wallt Josie a diflannodd y boen. Caeodd ei llygaid am foment mewn rhyddhad, heb boeni bellach faint mor wlyb oedd hi.

Pan agorodd ei llygaid, gwelodd gylch o wynebau o'u cwmpas. Doedd pob un ohonynt ddim wedi'u coroni â helmed blisman chwaith. Roedd nifer o bobl wedi rhedeg yn ôl yno pan glywsant fod yno helynt.

'Ydi pawb yn iawn?' galwodd Mr Greig.

'Cadwch yn ôl bawb!' gwaeddodd y Sarjiant. 'Reit yn ôl.'

Cododd Josie ar ei heistedd a gwasgu'i phengliniau at ei gên. Roedd y glaw'n dechrau arafu. Diolch byth am hynny o leiaf. Teimlai fel petai'i hasgwrn cefn wedi cael ei sgrafellu. Dylsai fod wedi rhoi cwfl ei hanorac dros ei phen a gwthio'i gwallt i mewn iddo. Byddai'n gallach y tro nesaf.

'Sut mae hi arnat ti?' gofynnodd i Anna.

'Doedd cael fy llusgo ar hyd y ffordd yn ddim byd yn ymyl yr olwg ges i gen Dad! Falla bydda i'n gorfod crwydro'r strydoedd yn chwilio am lety 'run fath â chdi.'

'Bron i ddwy fil,' meddai Khalil, gan edrych ar ei gyfrifiannell. Roedd wedi penderfynu ymuno â nhw yn y diwedd, ar ôl llawer o bendroni.

Tawsant pan welsant ddwy fan bolîs yn nesu.

'Ydach chi am gerdded neu ydi'n well gynnoch chi gael eich cario?' gofynnodd y Sarjiant.

Dim cydweithrediad, dyna oedden nhw wedi'i benderfynu. Dychwelodd y plismyn. Dechreuasant gario'r merched i'r faniau, ond thrafferthson nhw wneud dim ond llusgo'r bechgyn.

'Mae hi fel y tiwb yn Tokyo yma,' meddai Josie. Prin y gallen nhw symud eu breichiau gan mor dynn y paciwyd hwy i'r fan.

Daeth dau gwnstabl i'r cefn atyn nhw, ac eisteddodd dau arall yn y blaen efo'r gyrrwr. Codai stêm o'u dillad gwlybion a chymylu'r ffenestri. Cychwynasant yn ôl tua'r dre.

*   *   *   *

Er nad oedd mo'i hangen yn y siop, arhosodd Mrs Oswald yno am y pnawn, gan gilio i'r cefn bob tro y deuai rhywun roedd hi'n ei nabod i mewn, rhag ofn iddi orfod sgwrsio efo nhw. O leia roedd hi'n osgoi unrhyw un a fyddai'n debyg o wybod fod ei nith allan ar yr orymdaith.

'Nid yn unig allan, ond yn arwain y gwrthdystiad! Mae'r hogan 'na sy gen ti wedi codi cywilydd arna i, mi alla i ddeud wrthat ti!' meddai nifer o weithiau wrth Mrs McCullough, a oedd yn gwylio'r stryd yn bryderus. Daethai Rod heibio wedyn a phan welodd hi yn y drws arhosodd i ofyn oedd 'na ryw newydd am Josie. 'Faswn i ddim yn poeni,' meddai. 'Mae'n cymryd tipyn go-lew i gerdded i fyny yno ac yn ôl.'

'Mae busnes yn ara heddiw,' cwynodd Mr Oswald gan ymuno â Mrs McCullough yn y drws. 'Ond cofiwch, mae hi'n bnawn gwlyb.'

'Ar yr orymdaith 'na mae'r bai,' meddai ei wraig.

'Mae hyn 'na'n golygu fod llawer o'ch cwsmeriaid chi wedi mynd i'r brotest,' meddai Mrs McCullough gan droi i ffwrdd i guddio gwên.

Ond fel y llusgai'r pnawn yn ei flaen, a dim golwg o Josie, dechreuodd pryder droi fel cyllell y tu mewn iddi.

Buont yn yfed nifer o gwpaneidiau o de cryf wedi'i wneud gan Mrs Oswald a oedd yn rhoi'r tecell ymlaen os nad oedd ganddi ddim i'w wneud. Allai hi ddim diodde dal ei dwylo. Gyda'r te bwytâi ddarnau o'i hoff deisen, ac ochneidiai wrth gnoi.

Roedd gan Mrs Oswald ffrind o'r enw Mrs Crabbe a oedd yn enwog am hel straeon, ac eto'n hunangyfiawn a sanctaidd iawn. Âi â'i newyddion—newyddion drwg, fel arfer—o ddrws i ddrws, o gornel stryd i gornel stryd, o siop i siop. 'Fasach chi 'rioed yn credu!' oedd ei brawddeg agoriadol.

Felly, pan gododd Mrs McCullough ei phen a gweld Mrs Crabbe yr ochr arall i'r drws gwydr, a'i llaw ar y dwrn yn barod i'w droi, gwyddai pam roedd hi'n dod i mewn—nid i brynu hanner dwsin o ganhwyllau neu baraffîn, ond i ddarlledu'r newyddion diweddaraf, a gallai ddychmygu nad newyddion da fyddai ganddi.

PENNOD 8

Rhoddwyd pump ohonynt—merched i gyd—yn yr un gell. Eisteddasant ar y llawr efo'u cefnau at y waliau. Roedd yn gynnes yn y stafell, yn boeth hyd yn oed; rhy boeth, er iddynt groesawu'r gwres ar y dechrau. Gan fod eu hanoracs yn wlyb domen, a'u siwmperi'n llaith, fe'u tynasant, ac agor coleri'u crysau a thorchi'u llewys. Dywedwyd wrthynt am adael eu sgidiau y tu allan yn y cyntedd. Safai gwely mewn un gornel, gyda matres noeth a dim blancedi. Doedd dim cysgod ar y golau trydan. Doedd dim ffenest.

'Mae gen i dŷ cysurus,' meddai Josie.

Canasant ganeuon, gan chwilio am y rhai mwyaf dychanol eu harwyddocâd yn yr awyrgylch hon. Aethpwyd â'u holl feddiannau—yn watsys, beltiau, gemau, arian, hyd yn oed bacedi o dda-da mint a bariau siocled—oddi arnynt. Gofynnodd un o'r merched, Trish, am ddiod gan nad oedden nhw'n cael eu rhoi yn y gell, oherwydd roedd hi'n teimlo fel taflu i fyny ar ôl y daith yn y fan, ond y cyfan a gafodd oedd cwpanaid o ddŵr. Heddferch ddaeth â hi iddi—nid yr un roedd Josie'n ei nabod, ond un arall, efo wyneb hollol ddifynegiant, a dim gair ar ei gwefusau. Arhosodd uwchben Trish wrth iddi yfed y dŵr, a mynd â'r gwpan i ffwrdd wedyn.

'Rhag ofn inni'n hanafu'n hunain,' meddai Anna yn siriol.

Teimlent yn siriol. Oherwydd eu bod efo'i gilydd, wrth gwrs. Mi fuasai bod ar eu pennau'u hunain yn brofiad hollol wahanol. Cymerent yn ganiataol fod y pum merch arall a arestiwyd wedi cael eu rhoi efo'i gilydd hefyd.

Ymhen ychydig, agorwyd y drws, a galwodd hedd-ferch, 'Anna Gibson! Dowch â'ch holl ddillad efo chi.'

Cododd Anna ar ei thraed.

'Pob lwc,' sibrydodd Josie'n ddistaw a chodi'i bawd.

Dilynodd Anna y cwnstabl allan a chlepiodd y drws ar ei hôl a chlowyd ef o'r tu allan. Gwrandawodd y pedair a oedd ar ôl yn y gell ar y sŵn traed yn diflannu i lawr y cyntedd. Brathodd Felicity ei gwefus.

'Mi fyddi di'n iawn, Flick,' meddai Josie. 'Paid â phoeni. Jyst paid â gadael iddyn nhw fynd dan dy groen di.' Dyna'n union fyddai'r Sarjiant yn ceisio'i wneud iddi hi, fe wyddai. Roedd arno eisiau dial arni, gan ei fod yn ei gweld fel yr arweinydd. Yr un oedd bob amser yn codi helynt. 'Cadw'n dawel a hollol hunanfeddiannol. Dyna fydd Mam yn ei ddeud wrtha i.'

Wrth feddwl am eu mamau, distawodd y merched am chydig.

'Mi fydd Mam yn poeni nes bydd hi'n sâl,' meddai Felicity.

'A Mam,' meddai Marilyn. 'A fydd hi ddim yn rhy falch chwaith. Nid ei bod hi o blaid yr atomfa ond mi geith hi ffit binc pan glywith hi 'mod i wedi cael f'arestio.'

Doedd dim un ohonyn nhw'n difaru, chwaith; roedd pawb yn gytûn ar hynny. Roedden nhw wedi trafod y pwnc yn drwyadl ymlaen llaw, ac wedi ystyried canlyniadau eu gweithredoedd ac ymatebion eu rhieni. Doedd o ddim y math o beth roedd mamau'n disgwyl i ddigwydd i'w merched, meddai Josie: dyna un o'r pethau roedd ei mam *hi* wedi'i ddweud wrthi. 'Nid peth hawdd ydi eistedd gartre, Josie, yn aros am alwad o orsaf yr heddlu'n dweud wrthat ti fod dy ferch wedi'i harestio.'

Agorodd y drws eto a galwodd yr heddferch, 'Felicity Black!'

Safodd Felicity ar ei thraed.

'Cadw dy ben yn uchel,' meddai Josie'n urddasol.

Dilynodd Felicity'r wraig a chaeodd y drws yn glep unwaith eto, a chlywent sŵn yr allwedd yn troi yn y clo. Dim ond tair oedd ar ôl yn y gell rŵan.

'Mae'n debyg bod Anna wedi cael mynd yn rhydd,' meddai Marilyn.

'Mi gymrith oria iddyn nhw fynd trwy ugain ohonon ni,' meddai Josie.

Dyfalent faint oedd hi o'r gloch, gan eu bod wedi colli pob syniad o amser. Eisteddasant yn dawel am ychydig, heb siarad na chanu, fel petaent wedi'u mesmereiddio gan y gwres.

Yna agorodd y drws a galwodd yr heddferch, 'Marilyn Sharp!'

Aeth Marilyn gan adael Trish a Josie. Ymestynasant eu coesau gan fod mwy o le erbyn hyn.

'Dau ddyn bach ar ôl,' canodd Josie, gan wybod pwy fyddai'r ola i fynd.

Tu allan i orsaf yr heddlu, arhosai Anna a Felicity gyda thri o'r bechgyn a oedd wedi'u gollwng yn rhydd a hanner dwsin o'r trefnwyr eraill nad oeddynt wedi cymryd rhan yn y gwrthdystiad olaf. Safent yn glòs wrth ei gilydd, gan guro'u traed ar y llawr i gadw'n gynnes. Roedd y glaw wedi peidio, ond roedd y gwynt yn codi.

'Sut aeth hi?' gofynnodd y rhai oedd heb eu harestio.

'Ddim yn rhy ddrwg,' meddai Anna. 'Fe ofynson nhw dipyn o fanylion a darllen y cyhuddiad—sef creu rhwystr ar y briffordd.'

'Felly fe *gest* ti dy gyhuddo!'

Dywedodd y bechgyn eu bod wedi cael eu gwthio i'w cell, a bod un wedi baglu nes syrthio'n galed ar ei benggliniau, a'r plisman wedi'i gicio. Roedd yn rhaid fod ganddyn nhw fwy nag un stafell gyfweld. Roedd dau o'r bechgyn wedi gweld y Sarjiant, ond doedd 'run o'r merched wedi cael eu holi ganddo.

'Fo ydi'r un i'w osgoi,' meddai Anna. 'Fetia i mai fo holith Josie.'

Cyrhaeddodd Emma a'i mam gyda the poeth a brechdanau, a thra oedden nhw'n yfed a bwyta, cyrhaeddodd car arall, a daeth gŵr a gwraig nad oedd neb yn eu nabod allan efo dwy fflasg fawr o goffi.

'Roedden ni'n meddwl y byddech chi'n falch o ddiod boeth,' meddai'r wraig. 'Mae'n siŵr eich bod chi'n wlyb at eich crwyn, y cryduriaid!'

Yn ystod yr awr nesaf daeth nifer o bobl i gynnig help a bwyd a diod. Yn eu mysg yr oedd Mr Greig a dau athro arall.

Ac yna agorodd drws gorsaf yr heddlu i ollwng Jack a Marilyn allan. Bu tipyn o guro dwylo a rhuthrodd Anna ymlaen i gofleidio Jack. Y tu ôl iddynt roedd plisman.

'Mi fydd raid ichi i gyd symud rŵan,' meddai. 'Rydach chi ar draws y palmant.'

'Mae'n balmant llydan,' meddai Mrs Hunter. 'Pa wrthwynebiad sy gynnoch chi? Dydan ni ddim yn rhwystro neb rhag mynd heibio.'

'Mae'n ddrwg gen i, Madam, ond mae'n groes i'r gyfraith i gael mwy na chwech o bobl wedi ymgynnull mewn man cyhoeddus heb roi rhybudd ysgrifenedig ymlaen llaw.'

'Ond mae 'na fwy na chwech o bobl yn aml efo'i gilydd ar y traeth heb roi rhybudd.'

Dechreuodd Anna biffian chwerthin.

'Mae hynny'n wahanol,' meddai'r cwnstabl, gan lacio'r het am ei ben.

'Sut felly, Cwnstabl?' Roedd acen Sgotaidd Mrs Hunter yn gryfach nag arfer. 'Dydan ni ond yn cael tamaid i'w fwyta a llymaid o ddiod yn union fel maen nhw ar y traeth. Ac yn aros am ffrindia.'

'Mi fydd rhaid aros tipyn go-lew am rai ohonyn nhw. Fasa waeth ichi fynd adre ac aros amdanyn nhw'n fan'no. Rŵan symudwch o 'ma os nad oes gwahaniaeth gynnoch chi.' Camodd i lawr y grisiau, a'i freichiau ar led, gan ddal cledrau ei ddwylo tuag atynt fel petai'n symud gyr o ddefaid.

Symudasant rownd y gornel.

'Da iawn chi, Mrs Hunter!' meddai Anna.

'Dydyn nhw'n sicr ddim yn mynd i 'mwlio i! Mi gân' fy restio inna hefyd os mynnan nhw. Mwy o de, rhywun?' Edrychodd i fyny'r stryd. 'Onid mam Josie ydi hon'na sy'n dŵad?'

Roedd Mrs McCullough yn fyr ei gwynt pan gyrhaeddodd atynt.

'Unrhyw olwg o Josie?' gofynnodd.

*   *   *   *

Agorodd y drws a rhoes yr heddferch ddymunol ei phen i mewn. 'Patricia Cooper?' Ac yna dywedodd wrth Josie, 'Ddim yn hir rŵan.' Cymerodd Trish allan ac ail-gloi'r drws.

Cododd Josie ar ei thraed ac ymestyn ei breichiau uwch ei phen. Teimlai'n anystwyth, ac roedd cur yn ei phen oherwydd fod y stafell mor drymllyd. Ysai am anadlu awyr iach ac am yfed diod oer. Mae'n rhaid fod dwy neu dair awr wedi mynd heibio, meddyliodd, efallai pedair, neu bump, er pan ddodwyd hi yn y stafell. Y rhan olaf, pan oedd Trish a hi ar eu pennau'u hunain, oedd wedi ymddangos hiraf. Ar un adeg roedden nhw'n meddwl eu bod wedi cael eu hanghofio, neu eu bod am gael eu gadael yno dros nos. Buont â'u pennau yn eu plu am dipyn wedyn. Ond siriolodd ar ôl gweld yr heddferch ddymunol.

Cerddodd o gwmpas y stafell a gwneud ychydig o ymarferion er mwyn ystwytho'i chyhyrau. Ar ôl hynny, gorweddodd ar y fatres, efo'i dwylo wedi'u plethu uwch ei phen. Roedd yr adeilad yn dawel iawn erbyn hyn; ni allai glywed smic o sŵn yn unman—dim lleisiau na sŵn traed na thrafnidiaeth tu allan. Dyfalai sut brofiad fyddai bod dan glo am ddyddiau, neu am wythnosau.

Roedd wedi dechrau pendwmpian pan glywodd allwedd yn cael ei throi yn y clo. Neidiodd ar ei heistedd a gweld yr heddferch—yr un ddymunol—yn agor y drws.

'Sut ydach chi?'

'Iawn. Ond bod 'y nghorn gwddw i 'di sychu'n grimp.'

'Wn i. O, fe ddylen nhw fod wedi rhoi diod ichi.'

'Ai chi ydi'r unig un waraidd sy 'ma!'

'Mae rhai o'r bechgyn yn iawn hefyd.'

'Ond nid y Sarjiant?'

'Dwi'n deud dim. Ydach chi'n barod 'ta?'

Gwisgodd Josie ei hesgidiau a dilyn yr heddferch. Gadawyd y drws heb ei gloi y tro hwn. Roedd y gell yn wag.

'Ai fi ydi'r ola?'

'Ia, dwi'n ofni.'

Arweiniodd yr heddferch hi i stafell gyfweld a dweud

wrthi am eistedd. Ond arhosodd ar ei thraed, yn ymyl y drws, yn edrych yn syth ymlaen.

Roedd cloc ar y wal. Ac roedd hi'n naw ar hwnnw. 'O!' meddai'n uchel. Doedd ganddi ddim syniad ei bod hi mor hwyr. O wel, meddai wrthi'i hun, mi fydda i adre cyn bo hir rŵan, ac mi ga i ddiod a bàth, a mynd i 'ngwely, a chael cysgu rownd y cloc. Doedd dim awydd bwyd arni; roedd ei harchwaeth wedi diflannu ers meitin.

Ar ôl i ddeng munud dician heibio, daeth y Sarjiant i mewn efo dau blisman arall. Eisteddodd y tu ôl i'r ddesg; daliodd y plismyn i sefyll.

'Eich bag chi ydi hwn?' gofynnodd y Sarjiant, gan godi'r bag ysgwydd canfas yr oedd Josie wedi'i gario efo hi.

'Ia.'

Trodd ef â'i ben i lawr ac arllwys y cynnwys yn domen ar y llawr. 'Ai chi biau'r rhain?'

'Ia.'

'Well ichi'u codi nhw 'ta.'

Giglodd un o'r plismyn yn wawdlyd. Edrychodd Josie ar y Sarjiant, ac yntau arni hithau. Os nad âi ar ei gliniau i hel ei phethau fe gaen nhw'u gadael yno a'u sgubo i ffwrdd yn y bore fwy na thebyg.

Aeth ar ei chwrcwd a chodi'i phwrs, llyfr nodiadau, ffeil ewinedd, tri hen docyn bws, hances bapur, rhuban coch, a chrib. Er mwyn codi dwy feiro, pensil aeliau a'r arian a oedd wedi disgyn o'i phwrs, bu'n rhaid iddi gropian dan y bwrdd a symud y fasged bapur wâst o'i ffordd. Teimlai lygaid y dynion yn ei gwylio, a gwyddai fod golwg ddoniol arni. Anadlodd yn ddwfn a chyfrodd i ddeg cyn mynd yn ôl ac eistedd ar y gadair eto.

Roedd y Sarjiant yn dal teclyn troi sgriws. 'Hwn yn perthyn i chi hefyd?' Nodiodd ei fod. 'Be oedd amcan ei gario fo yn eich bag?'

Sgrytiodd ei hysgwyddau a dweud ei fod yn beth digon handi i'w gael yn ei bag.

'Mi allai gael ei ddefnyddio fel arf. Dydi o ddim yn beth arferol i ferch gario peth fel hyn efo hi.'

'Sut—?'dechreuodd, ac yna tewi. Roedd yn mynd i ofyn iddo sut y gwyddai beth roedd merched yn ei gario yn eu bagiau, ond doedd fawr o werth mewn codi'i wrychyn o. Byddai'n rhaid iddi fod yn ofalus. Achos efallai mai'r peth nesaf a awgrymai oedd ei bod yn cario'r teclyn troi sgriws er mwyn ei ddefnyddio yn erbyn yr heddlu. 'Mae f'ewyrth yn cadw siop ironmonger,' meddai, 'ac rydw inna'n gweithio yno bob dydd Sadwrn.'

'Felly mi ddigwyddodd ddisgyn i mewn i'ch bag?' Gwenodd y Sarjiant yn fingam ac edrych ar un o'r plismyn—yr un a giglodd. Ei was bach, mae'n siŵr, dyfalodd Josie. Teimlai fel cymryd y sgriwdreifar oddi arno a'i wthio i ddarn meddal o'i gnawd, os *oedd* unrhyw ran ohono'n feddal. *Ara bach rŵan, McCullough, cadw di dy ben.*

'Mi ofynnodd Mam imi ddŵad ag un adre.'

'Mi faswn i'n meddwl basa 'na ddigonedd ohonyn nhw yn nhŷ ironmonger.'

'Nid yn ein fflat ni. Rydan ni'n byw ar y llawr ucha.'

O leiaf roedden ni'n arfer byw ar y llawr ucha, meddyliodd, oherwydd roedd yn amau a fyddent yn dal i fyw yno o hyn ymlaen.

'Gofynnwch i'm hyncl os oes raid,' meddai gan edrych ym myw llygad y Sarjiant.

Rhythodd yntau'n ôl i'w llygaid am ychydig eiliadau, a

chan godi darn o bapur oddi ar ei ddesg, dywedodd ei fod am ddarllen y cyhuddiad. Ond yn gyntaf, gofynnodd iddi a oedd ganddi rywbeth i'w ddweud, gan ei rhybuddio y byddai unrhyw beth a ddywedai yn cael ei gymryd fel tystiolaeth, ac y gellid ei ddefnyddio yn ei herbyn.

'Does gen i ddim i'w ddeud,' meddai ac aros. Ofnai y byddai'n ei chyhuddo o gario arf bygythiol, oherwydd byddai hynny'n llawer mwy difrifol na chael ei chyhuddo o rwystr. Ond fe'i cyhuddodd yn syml o greu rhwystr ar y briffordd. Rhoddodd ochenaid fewnol o ryddhad. Dyfalodd tybed a oedd wedi bwriadu dwyn y cyhuddiad arall. Mwy na thebyg mai ceisio codi ofn arni yr oedd.

Dywedwyd wrthi y câi fynd. Teimlai awel yr hwyr yn oer ar ôl cynhesrwydd trymaidd gorsaf yr heddlu. Arhosodd am eiliad ar y ris uchaf i gael ei gwynt ati ac ystyried ble'n union yr oedd.

'Josie!' galwodd rhywun, a'r funud nesaf yr oedd Anna wedi brasgamu i fyny'r grisiau ac yn taflu'i breichiau amdani. 'Mae dy fam rownd y gornel.'

Pan welodd Mrs McCullough hwy'n dod, torrodd ei hun yn rhydd oddi wrth y twr o bobl ar y palmant a brysio i'w chyfarfod. Cofleidiodd hi a Josie heb yngan gair. Yr oedd boch ei mam yn llaith yn erbyn ei boch hi, ac am y tro cyntaf ers iddi gael ei harestio dechreuodd y dagrau bowlio i lawr ei hwyneb hithau.

'Wel?' gofynnodd Anti Gladys y funud y daeth Josie a'i mam i mewn i'r lobi.

'Wel?' gofynnodd Josie yn ôl.

'Mae Josie wedi ymlâdd, Gladys,' meddai Mrs McCullough yn frysiog. 'Gawn ni adael y post mortem tan bore fory?'

'Ac mae Josie wedi ymlâdd, ydi hi? O, mae'n ddrwg iawn gen i glywed hynny!'

''Drychwch yma!' meddai Josie, gan deimlo'n llai blinedig. 'Dydw i ddim yn mynd i gymryd rhan mewn unrhyw felodrama dim ond er mwyn i chi gael deud wrtha i am adael y tŷ 'ma ar y diwedd—'

'Dal dy dafod, ferch,' meddai Yncl Frank. 'Rydan ni'n hollol barod i roi gwrandawiad teg iti. Rydan ni'n bobl gyfiawn a theg. Chaiff neb ddeud yn wahanol.'

'Ffwr' chdi i'r stafell fyw,' meddai Anti Gladys gan ddal y drws ar agor.

'Dydw i ddim yn mynd i unman. A does arna i ddim isio "gwrandawiad"! Dydw i ddim am gael fy rhoi ar brawf gynnoch chi'ch dau. Be 'dach chi'n feddwl ydach chi—yn meddwl eich bod chi'n farnwyr?'

'Paid ti â chodi dy gloch efo ni, Josephine McCullough,' meddai Yncl Frank, gan fynd tuag ati efo'i fraich i fyny.

'O'r gora, tarwch fi! Dwi'n eich slensio chi i neud! Mi fyddach yn difaru am oes, dyna'r cyfan alla i 'i ddeud.'

'Rhowch y gora iddi, y ddau ohonoch chi!' meddai Mrs McCullough, gan symud rhyngddynt. Roedd bron â thorri allan i grio unwaith eto, ac er bod yn ddrwg gan Josie am hynny, doedd hi ddim am ildio i'w bwli o ewyrth. Wnâi o mo'i tharo beth bynnag, gwyddai hynny, achos roedd ei fraich yn dechrau gwamalu fel y deuai'n nes ati. Doedd ganddo mo'r gỳts ac fe wyddai y gallai hi ei lorio mewn eiliad. 'Mae hyn yn ofnadwy, herian a ffraeo fel hyn.' Crynai llais ei mam.

'Rwyt ti yn llygad dy le,' meddai Anti Gladys, gan edrych yn gas ar Josie. 'Yr eneth ddigwilydd!'

'Tyd inni fynd i'n gwlâu,' meddai ei mam.

'Mi setlwn ni hyn yn y bore 'ta,' meddai Yncl Frank.

'Dydan ni ddim yn bwriadu setlo dim,' meddai Josie. 'Dydw i ddim yn mynd i aros yn y tŷ 'ma am ddeng munud arall. Dyna faint gymrith hi imi i bacio 'mhetha.' Cychwynnodd am y grisiau.

'Ac i ble 'r wyt ti'n meddwl rwyt ti'n mynd yr adeg yma o'r nos, 'ngenath i?' meddai Anti Gladys. 'Fedri di ddim cerdded y strydoedd. Er, falla mai fan'no mae dy le di.'

Edrychodd Josie yn ôl. 'Rydw i'n mynd i aros at yr Hunters. Dr a Mrs Hunter. Maen nhw wedi 'ngwâdd i'n barod. Gan wbod sut blydi bobl ydach chi!'

'Meiddia di—!'

Roedd Josie hanner y ffordd i fyny'r grisiau, yn rhedeg, ac yn neidio dwy neu dair gris ar y tro, o gyrraedd y lleisiau cecrus islaw. Roedd wedi adennill ei hegni ac roedd ei gwaed yn berwi. Ond teimlai'n well erbyn hyn ar ôl cael gollwng tipyn o stêm. Roedd hi wedi gadael iddo grynhoi tu mewn iddi cyhyd nes ei fod wedi chwistrellu allan unwaith y cododd y caead.

Roedd yn pacio ychydig o bethau i'w bag cefn pan ddaeth ei mam i'w hystafell.

'Mae'n ddrwg gen i, Mam, wir—nid am be ddwedais i wrthyn nhw, ond drosoch chi.'

'Mae'n iawn, cariad, dwi'n sylweddoli na allet ti ddiodda petha ddim mwy. Mi arhosa i am chydig ddyddia nes y down ni o hyd i le. Mi ddechreua i chwilio ddydd Llun.'

'Mi gawn ni rywle, Mam. Hyd yn oed petai'n ddim ond stafell. Ac mi rydw i am geisio cael swydd fin nos.'

'Ond mae gen ti waith ysgol i'w neud.'

Fe allai wneud y ddau, meddai Josie, dim ond iddi beidio â chael ei pherthnasau'n busnesu bob munud. 'Wir ichi, mae perthnasa'n felltith!' Caeodd ei bag cefn. 'Mi ffônia i chi yn y bore.'

'Mi awn ni am ginio i rywle efo'n gilydd. Cym ofal!'

Cusanodd Josie ei mam, a chan daflu'r bag dros ei hysgwyddau, rhedodd i lawr y grisiau.

Roedd ei modryb a'i hewyrth yn dal i ymddwyn fel plismyn wrth waelod y grisiau.

'Un funud, 'ngenath i,' meddai Yncl Frank, gan sefyll yn ei ffordd. 'Dydan ni ddim yn mynd i adael iti fynd i dŷ'r Hunters i balu clwydda amdanon ni.'

'Mi bala i ym mha ardd bynnag dwi'n ei dewis. Ond nid clwydda fydda i'n eu palu, mi ellwch fod yn sicr o hynny! Rŵan, symudwch o'm ffordd i plîs.' Gwthiodd ef ychydig i'r ochr nes ei fod yn siglo ar ei draed.

'Paid ti â meiddio cyffwrdd dy fys bach ynddo fo!' meddai Anti Gladys. 'Esgob annwyl, mae gen ti wyneb! Dim syndod dy fod ti wedi glanio'n y fath lobsgows. Dyna fendith nad ydi dy dad yn fyw i weld hyn.'

'Peidiwch â'i lusgo fo i mewn i hyn,' meddai Josie, ei thymer yn codi i'r berw unwaith eto. 'Sut y daethoch chi erioed i fod yn hanner-chwaer iddo fo, Duw yn unig a ŵyr!' Dadfolltiodd y drws ffrynt a'i dynnu ar agor.

'Mi ga i air efo Dr Hunter fy hun,' meddai Yncl Frank.

'Mi gewch air efo pwy bynnag fynnwch chi—waeth gen i.'

Aeth allan a chau'r drws yn glep tu ôl iddi. Dwi'n rhydd, meddyliodd, gan edrych i fyny tua'r awyr, a gweld ei bod yn llawn sêr; yn rhydd rhagddyn *nhw,* beth bynnag.

Aeth i nôl ei beic o'r sied yn y cefn a'i wthio allan ar y ffordd. Wrth daro cip ar lawr ucha'r tŷ gwelodd wyneb ei mam yn ffrâm y ffenest. Chwifiodd ei llaw arni. Edrychodd hi ddim ar ffenestri'r llawr.

Roedd yr Hunters yn dal heb fynd i'w gwlâu. 'Wrth gwrs y cei di aros,' meddai Mrs Hunter ar unwaith. 'Mae croeso iti aros. Roedd gen i syniad y byddai angen gwely arnat ti heno.'

Ar ôl i weddill y teulu fynd i'w gwlâu, arhosodd Emma a Josie wrth fwrdd y gegin yn sgwrsio am ddigwyddiadau'r dydd.

'Sgwn i pryd bydd raid iti fynd i'r llys?' meddai Emma.

'Mewn rhyw ddeufis falla, neu'n gynt o bosib. Mae'n rhaid iddyn nhw anfon gwŷs aton ni gynta.'

'Fe allen nhw ollwng y cyhuddiadau.'

'Fetia i na wnân nhw ddim. Mi fyddan am ein bygwth ni rhag gweithredu ymhellach.'

'Mi drawis i ar Rod, gyda llaw,' meddai Emma.

'O?' Cododd Josie ei hysgwydd fel petai'n ddi-hid.

'Dwi'n meddwl y basa fo wedi hoffi dod i lawr i orsaf yr heddlu. Ond roedd hi'n anodd iddo fo braidd.'

'Alla i ddim gweld pam.'

'Wel, gan nad oedd o'n cymryd rhan.'

'Arno fo mae'r bai am hynny, yntê?'

*　　　*　　　*　　　*

Cafodd Josie a'i mam ginio mewn tafarn yn ymyl yr harbwr.

'Cym ofal ohonot dy hun 'ta, 'nghariad i,' meddai Mrs McCullough, wrth iddyn nhw godi i fynd.

'A chitha hefyd,' meddai Josie.

Cusanodd y ddwy a gwahanu. Roedd Mrs McCullough yn mynd yn ôl i lunio hysbyseb ar gyfer y papur newydd, ac un i'w roi yn stafell aros y deintydd, ac roedd yn rhaid iddi benderfynu faint i'w godi am ei sesiynau ffisiotherapi. Yn sydyn, meddai, roedd ganddi gymaint i'w wneud ac i feddwl amdano, rhwng chwilio am fflat a sefydlu busnes!

Brysiodd i ffwrdd. Dychwelodd Josie i dŷ'r Hunters gan fynd â'r cês o ddillad yr oedd ei mam wedi dod ag ef iddi. Doedd neb gartre; roedd yr Hunters wedi mynd i ymweld â pherthnasau. Aeth Josie i fyny i'w llofft ac agor llyfr hanes—roedd raid iddi sgwennu traethawd ar dwf yr undebau llafur ym Mhrydain—ond fe'i câi ei hun yn edrych allan trwy'r ffenest ar yr ardd, ac ar y cae y tu draw iddi, a'r môr y tu draw i hwnnw. Taflodd ei llyfr i ffwrdd a mynd am dro ar ei beic.

Ac ar y ffordd i lawr at y môr cyfarfu â Rod, a oedd hefyd allan am dro ar ei feic.

'Mae'n ddrwg gen i,' meddai hi, gan estyn ei llaw iddo.

'A finna,' meddai yntau, gan afael yn ei llaw.

'Ro'n i'n gobeithio y baswn i'n dy weld.'

'A finna.'

Chwarddodd y ddau. Aethant ymlaen ar eu beics, ochr yn ochr, a gwnaeth Josie adduned, yn ddistaw bach wrthi'i hun, nad oedd hi byth yn mynd i ffraeo efo Rod eto. Wel nid y pnawn 'ma, o leiaf.

Roedd hi'n bnawn braf o hydref gydag ias yn yr awyr.

Disgleiriai'r môr yn eu hymyl. Aethant ymlaen ar hyd yr arfordir, am filltiroedd. Teimlai'r ddau fod angen ymarfer arnynt. Unwaith yr oedd Josie wedi dweud hanes y diwrnod cynt, chrybwyllodd yr un o'r ddau y gair 'niwclear'. Mae'n rhaid inni gytuno i anghytuno ar hyn'na, meddyliodd hi; roedd Rod yn llygad ei le ar y pwynt yna. Heddiw, roedd hi'n falch o gael anghofio am ddoe, am ryw hyd beth bynnag.

Daethant i dref ddigon tebyg i'r un lle'r oedden nhw'n byw, efo harbwr bychan a ddefnyddid fwy gan bobl y cychod hwyliau na chan bysgotwyr erbyn hyn, a phromenâd gyda rhes o westai a thai yn hysbysebu gwely a brecwast. Cawsant blatiad o sgod a sglods a thebotiad o de mewn caffi bach ar lan y dŵr. Wrth iddynt fwyta gwelsant y lliw'n graddol gilio o'r môr a'r awyr.

'Dwi wrth 'y modd yn byw yn ymyl y môr,' meddai Josie.

'Faswn i'n licio byw yn y wlad,' meddai Rod. 'Wyddost ti be liciwn i go-iawn?'

'Deuda wrtha i!'

'Cael gardd fynyddig, a'i rhedeg hi'n fasnachol.' Aeth ymlaen i sôn yn frwdfrydig am ardd felly a welsai yn yr Alban.

'Mae'n swnio y basa'n well gen ti neud hyn'na na mynd yn beiriannydd.'

'Falla wir, sti.'

Roedd hi'n tywyllu wrth iddyn nhw seiclo'n ôl. Ymgasglodd y cymylau unwaith eto; doedd dim lleuad, na sêr chwaith. Aeth Rod ar y blaen, a Josie'n ei ddilyn, gan gadw llygad ar ei olau ôl. Meddyliai am ei thraeth-awd hanes bob hyn a hyn, ond nid yn rhy aml.

Pan oedden nhw ryw ychydig o filltiroedd o gartref awgrymodd Rod eu bod yn mynd ar y traeth. Gadawsant eu beics a cherdded dros y twyni tywod at lan y môr. Roedd y tonnau gwynion i'w gweld yn carlamu yn y tywyllwch. Disgynnai dafnau o ddŵr hallt ar eu hwynebau.

'Mae hi'n eitha cynnes,' meddai Josie. 'Wel, nid yn rhy oer beth bynnag.'

'Bron yn ddigon cynnes i nofio.'

'Wyt ti'n gêm?'

'Wyt ti?'

Prin bod angen iddo ofyn.

''Dan ni'n hollol wallgo,' meddai Josie wrth iddyn nhw lithro allan o'u dillad yn y twyni tywod. Chwarddodd a rhedeg o flaen Rod i'r môr.

Aeth yntau ar ei hôl, gan weld amlinelliad ei chorff yn y tywyllwch. Golchai'r tonnau drostynt gan beri iddynt sgrechian mewn cymysgedd o artaith a phleser, ac mewn ecstasi pur. Cerddasant trwy'r tonnau ac yna dowcio i'r dŵr a nofio, yn gyfochrog â'r lan, er dim ond am ychydig, gan fod yr oerni'n brathu ac yn treiddio trwy'u cyrff. Yn fuan roedden nhw'n carlamu'n ôl trwy'r tonnau i'r traeth.

'Dal i fynd!' meddai Rod. 'Tyd o 'na, un, dau, tri, pedwar!'

Neidiasant i fyny ac i lawr, a gwneud ymarferion, ac yna trotian ar hyd y traeth, gan faglu unwaith neu ddwy, ond yn ailgydio wedyn, a dal ati. Dechreuasant arafu ar ben draw'r traeth.

'Dwi'n berwi rŵan,' meddai Josie.

'Ble'r wyt ti?' gofynnodd Rod, gan chwilio am ei llaw a cheisio'i thynnu ato. Ond camodd hi draw, yn ymwybodol am y tro cyntaf o'i noethni, ac o'i noethni yntau.

'Rod, mi allai hyn fod yn beryglus—'

'Wyddwn i 'rioed o'r blaen fod gen ti ofn perygl.'

'Dwi ddim am i betha fynd yn rhy boeth, ddim eto . . . Fedra i mo'i ddal o. Mae gen i ddigon ar 'y mhlât, llawn digon . . .'

Ynganodd ei henw, dyna i gyd.

'Mae'n ddrwg gen i, Rod.' Fe'i temtiwyd hi i symud tuag ato ond gwyddai y gallai'r sefyllfa fynd allan o reolaeth yn llwyr pe gwnâi. Allai hi ddim wynebu'r ymrwymiad yna, ar hyn o bryd o leiaf. Roedd arni eisiau siarad efo fo am y peth ond sut gallen nhw siarad yn fan hyn, yn erbyn sŵn y môr, ac heb allu gweld wynebau'i gilydd? Roedd hi'n crynu, ac roedd ei breichiau'n groen gŵydd drostyn. 'Mae'n ddrwg gen i,' meddai eto a dechrau rhedeg, yn ôl at y lle'r oedden nhw wedi gadael eu dillad. Dilynodd Rod, gan gadw rhyw lathen y tu ôl iddi.

Aethant i'r fan yn y twyni lle'r oedden nhw'n meddwl eu bod wedi gadael eu dillad, ond allen nhw weld dim golwg ohonyn nhw'n unman. Dechreuasant chwilio gyda'u dwylo a'u traed, gan ymbalfalu yn y tywod meddal gyda'i fân lwyni o eithin pigog. Mae'n rhaid mai yn y twyni nesaf yr oedden nhw, meddai Rod, ond yno eto allen nhw deimlo ond tywod ac eithin. Ymlaen â nhw eto.

'Dwi'n siŵr nad fan hyn maen nhw,' meddai Rod gan wasgaru tywod i bob man.

'Beth petai rhywun wedi'u dwyn nhw?' meddai Josie a dechrau chwerthin ac igian bob yn ail. Roedd ochr ddigri'r sefyllfa wedi'i tharo'n sydyn. 'Meddylia—falla bydd raid inni gerdded adre'n noethlymun groen. Yn borcyn fel Adda ac Efa. Mi allen ni gael ein restio. "Ond Sarjiant, allwn i ddim *cael hyd* i 'nillad."'

'Mi gei di ffit binc mewn munud os na fyddi di'n ofalus,' meddai Rod, er ei fod yntau'n dechrau mynd i sterics rŵan hefyd.

'Mi fyddwn ar ddalen flaen y *Gazette*. "Nith i siopwr parchus, ac un o bileri'r gymdeithas, wedi'i dal yn jolihoetio'n noethlymun gyda mab i beiriannydd niwclear parchus, un arall o bileri'r gymdeithas".'

Chwarddai'r ddau nes bod eu dagrau'n llifo. Doedden nhw ddim yn cofio chwerthin mor afreolus ers tro byd, nid er pan oedden nhw'n fach, pan gaent eu goglais gan rywbeth hollol bitw, ac yna methu eu rheoli'u hunain. Ond rŵan roedd y sefyllfa'n wirioneddol ddoniol, a dechreuent rowlio chwerthin unwaith eto bob tro y meddylient amdani.

Yna daeth pwynt pan na allent chwerthin dim mwy. Roedd eu boliau'n brifo, eu hochrau'n brifo, a hwythau yn eu dyblau.

'O diar!' meddai Josie. 'O leia, mae'n gysur meddwl na fedrith rhywun ddim marw o oerfel wrth chwerthin fel hyn.'

'Ond lle ar y ddaear mae'r dillad 'na?' gofynnodd Rod.

Syllodd y ddau ar hyd y traeth tywyll gyda'i ymyl denau o ewyn. Doedd ganddyn nhw bellach mo'r syniad lleiaf lle gallen nhw fod wedi gadael eu dillad.

PENNOD 10

'Mi fydd raid inni chwilio pob twll a chornel,' meddai Rod. 'Dechrau yn un pen o'r traeth a symud gam wrth gam. Mae'n *rhaid* eu bod nhw yma'n rhywle.'

Nid o angenrheidrwydd, meddyliodd Josie, achos fe welodd hi bethau'n diflannu gartre yn y tŷ, a hithau'n methu dod o hyd iddyn nhw er iddi chwilio a chwalu a throi'r lle â'i wyneb i waered. Doedd dod o hyd i'w dillad ar ddarn hir o draeth a hithau'n dywyll fel bol buwch ddim yn ymddangos iddi hi'n beth hawdd o gwbl. Gallai ei dychmygu'i hun yn ei chwrcwd, heb gerpyn amdani, yn llwyni gardd yr Hunters yn ceisio tynnu sylw Emma. Roedd hi'n hwyr erbyn hyn, ac fe fyddai pawb yn eu gwlâu, a doedd ganddi hithau ddim allwedd.

Wrth wylio Rod fel rhyw ddrychiolaeth lwyd o'i blaen yn ymlwybro o'r naill dwyn i'r llall, daeth awydd chwerthin drosti eto. Ond roedd yr oerfel yn treiddio trwyddi fel nad oedd ganddi bellach ddigon o egni i chwerthin. Brysiodd ymlaen, a'i thraed yn llithrig ar y tywod. Pan gyraeddasant yn ôl i'r rhan o'r traeth lle'r oeddynt wedi cychwyn, gwaeddodd Rod yn fuddugoliaethus.

'Dyma nhw! 'Drycha!' Cododd rywbeth tywyll a'i chwifio. 'Dy anorac di.'

Rhoesant eu dillad amdanynt ar frys. Roedd tywod ymhobman, ymhob llawes a phlyg, yn eu sgidiau, eu gwalltiau, ac yn eu cegau hyd yn oed. Wrth symud teimlent y gronynnau'n crafu yn erbyn eu croen. Ond symud oedd raid, cyn gynted ag y gallent. Yn ôl â nhw, rhwng y twyni tywod, at y lle'r oedden nhw wedi gadael eu beics, gan oedi am funud i gael eu gwynt atyn ac i wagio'u sgidiau.

'Dwi'n meddwl fod hanner tywod yr holl draeth arna i,' meddai Josie.

'Nefoedd, mae hi wedi un,' meddai Rod gan graffu ar ei wats.

'O na, 'rioed! Sut galla i fynd i mewn heb ganu'r gloch?' Fe allai fynd adre efo fo, awgrymodd, ond roedd arni ofn y byddai'r Hunters yn poeni petai ei gwely'n wag yn y bore. Fe âi i mewn rywsut neu'i gilydd, trwy ddringo trwy ffenest, neu ddeffro Emma. Doedd dim angen iddo fo boeni, na dod efo hi.

Aethant gyda'i gilydd cyn belled â chornel y stryd lle'r oedd yr Hunters yn byw.

'Wyt ti'n siŵr y byddi di'n iawn?' gofynnodd.

'Hollol siŵr. Dwi'n hen law ar ddringo trwy ffenestri. A dwi'n siŵr 'mod i wedi gadael ffenest fy llofft ar agor.'

'Wela i di yn y bore 'ta,' meddai yntau a'i chusanu. 'Yn ddiweddarach y bore 'ma ddylwn i ddeud!' Cusanodd hi eto.

'Dos o 'na!' meddai hi a chwifio cusan i'w gyfeiriad.

Fe ddylai wybod pryd i gau'i cheg, meddyliodd, wrth syllu i fyny at ffenest ei llofft a gweld ei bod ar gau. Sôn am demtio Rhagluniaeth! Roedd hi'n dda am wneud hynny. Roedd hi'n dda ym mhopeth a achosai drwbwl. Ac anghyfleustra. Roedd hi'n sicr yn anghyfleus i gael ei chloi allan ganol nos, a feiddiai hi ddim canu'r gloch. Pe gwnâi, styrbio Dr Hunter a wnâi mae'n siŵr. Ac fe fyddai ef newydd fynd i'w wely a syrthio i gysgu ar ôl cael ei alw allan i weld rhywun sâl.

Byddai'n rhaid iddi roi cynnig ar yr hen dric 'na efo graean yr oedd wedi darllen cymaint amdano mewn nofelau ond heb erioed ei ddefnyddio ei hun. Y broblem gyntaf oedd dod o hyd i'r math iawn o raean. Wnâi llond dwrn o bridd mo'r tro, gan na allai byth ei daflu cyn belled â ffenest Emma. Roedd y fynedfa wedi'i tharo. Ond efallai mai graean oedd ganddyn nhw drws nesaf.

Ar ôl rhoi cip i fyny'r ffordd, sleifiodd at giât ffrynt drws nesaf, ac wrth lwc roedd hi ar agor. Aeth drwyddi, a phlygu i godi llond ei dwylo o raean. A hithau yn ei chwman, llithrai graean rhwng ei bysedd wrth iddi gamu'n ôl ar flaenau'i thraed at dŷ'r Hunters.

Gosododd ei hun dan ffenest Emma. Rŵan! meddai wrthi'i hun a thaflu'i braich i fyny mewn hanner cylch. Trawodd ychydig o'r graean y ffenest—clywodd sŵn cras wrth iddo wneud, ond dim ond sŵn gwan iawn. Fe fyddai angen tipyn mwy na hyn'na i ddeffro unrhyw un. Ac roedd Emma'n arfer cysgu fel twrch.

Ystyriodd Josie y sefyllfa. A ddylai fynd i nôl mwy o raean? Prin fod llawer o bwynt, yn enwedig os oedd hi'n mynd i golli'i hanner ar y ffordd yn ôl. A beth petai pobl drws nesa'n edrych allan trwy'r ffenest ac yn ei gweld? Ei gweld yn *lladrata* graean? *Josephine Rona McCullough, a fuoch chi, ar nos—?*Roedd y cyhuddiadau yn ei herbyn fel petaen nhw'n lluosogi o funud i funud.

'Emma!' galwodd yn ddistaw, mewn llais cryg. Roedd hi bron wedi dod i ben ei thennyn, ac roedd ei gwddw fel petai'n dywod i gyd. 'Emma,' galwodd eilwaith, yn uwch y tro hwn.

Trawodd cloc yr eglwys ddau, a'r sŵn yn hofran yn glir a chlochaidd ar awel y nos. Ymhle'r oedd hi'n mynd i dreulio gweddill y nos? Ceisiodd alw ar Emma unwaith eto cyn ildio a meddwl am gynlluniau eraill.

Am y garej y meddyliodd gyntaf, achos fe fyddai sedd gefn car mawr yr Hunters yn gwneud y tro'n iawn fel gwely. Roedd y drws ynghlo. Ceisiodd agor ffenest y garej, ond ni thyciai dim yn fan'no chwaith. Aeth heibio ochr y tŷ i'r ardd gefn. Roedd yno sied, ond roedd honno'n llawn o beiriannau torri gwair a rhawiau a chribiniau a phopeth miniog ac annifyr o'r fath. Ac yna gwelodd y tŷ gwydr. Penderfynodd mai fan'no fyddai'r lle.

Roedd yn gynnes yn y tŷ gwydr; mae'n rhaid fod y gwres ymlaen. Gosododd hen sach datws wag ar y llawr a gorwedd arni. Cysgodd.

*   *   *   *

'Be ar y ddaear wyt ti'n neud fan hyn, Josie?' meddai llais gan ei llusgo o ddyfnjwn ei chwsg. Cododd ar ei heistedd ac ni allai feddwl am funud ymhle'r oedd. Roedd yn ymwybodol o ddail gwyrdd yn drwch uwch ei phen ac o wydr yn disgleirio, ac yna ar ôl rhwbio'i llygaid gwelodd Dr Hunter yn plygu drosti.

'Mi feddyliais i am funud mai tramp oedd yma,' meddai.

Mae'n siŵr ei bod yn edrych fel un. Rhedodd ei bysedd trwy'i gwallt a theimlo'r tywod yn llithro ohono. Roedd ganddi boen yn ei chefn, ac aeth gwewyr trwyddi wrth geisio sythu'i choesau.

'Cael 'y nghloi allan wnes i.'

'Ddylet ti fod wedi canu'r gloch, yr hogan wirion! Ffwr' chdi i mewn rŵan, i gael bàth poeth a thamaid o frecwast.'

Teimlodd ei chefn yn esmwytho yn nŵr cynnes y bàth, a'r clymau yn ei choesau a'i breichiau'n dechrau datod;

gallasai fod wedi gorwedd yn y dŵr sidanaidd trwy'r bore.

Pan welodd Rod ddrws yr Hunters yn agor ac Emma'n dod allan efo Josie ni allai beidio â theimlo'n siomedig, er y gwyddai nad oedd hynny'n beth rhesymol.

Cerddodd Josie rhyngddo ef ac Emma a dweud hanes ei noson yn y tŷ gwydr wrthynt. Ar ben draw'r stryd nesaf ymunodd Anna â hwy a throdd y sgwrs at dad Anna.

'Fedr o ddim gweld tu hwnt i'w swydd, dyna'r drwg. Mae o'n fy nghyhuddo fi o beryglu'i swydd.'

'Aros tan gei di'r wŷs!' meddai Emma.

'Dyna pryd yr eith Mam o'i cho'n las ulw. Wrth feddwl am ei merch hi'i hun o flaen y llys!'

'Neu yn y carchar,' meddai Josie.

'Dydach chi ddim yn mynd i'r carchar?' meddai Rod.

'Falla. Os gwrthodwn ni dalu'r ddirwy. Er falla na fasan nhw'n gyrru Anna gan mai dyma'i throsedd cynta hi. Cofiwch fod gen i record yn barod! Am ddal cannwyll ar risia'r eglwys.'

'Dwyt ti'm yn gall!'

'Mater o egwyddor ydi o. Rhaid gneud safiad.'

Ni allai Rod goelio. Roedd hi wedi troi i sgwrsio efo Emma. Oedd hi'n sylweddoli am be oedd hi'n sôn wrth ddweud mor ddihidio ei bod am fynd i'r carchar fel petai'n ddim mwy na mynd am dro i lawr y lôn? Roedd wedi gweld rhaglen ddogfen am ferched yn Holloway unwaith, ac roedd yr holl beth yn ddigon i godi'r ddincod arno.

Daethant i olwg yr ysgol ac ymunodd Jack a Phil â hwy, ac mewn ychydig wedyn, Khalil. Y brotest ddydd Sadwrn oedd holl bwnc y sgwrs. Doedd y palmant ddim digon llydan ar gyfer pawb; câi Rod ei wthio i ffos y clawdd. Tynnodd yn ôl, a Josie hefyd, a gadawsant i'r lleill fynd o'u blaenau.

'Dwyt ti ddim yn meddwl *o ddifri* am fynd i'r carchar, wyt ti?'

'Ydw, mi rydw i'n meddwl *o ddifri*. Sut arall y gall rhywun feddwl am garchar?'

Cyfarchwyd Josie gan ddwy ferch. Trish a Felicity. Gadawodd Rod iddynt fynd yn eu blaenau.

Fe'i câi hi'n anodd canolbwyntio yn yr ysgol y bore hwnnw. Daliai i feddwl am Josie mewn stafell dan glo, yn Holloway.

*   *   *   *

Soniodd Josie'r un gair am garchar wrth ei mam—mi fyddai hen ddigon o amser i wneud hynny os a phan benderfynai fynd. Ar hyn o bryd roedd chwilio am le i fyw yn mynd â'i holl fryd.

Cyfarfuasant yn y Dylluan Wen a phan aeth Josie at y cownter i nôl coffi gofynnodd i'r perchennog a oedd angen help arno. Roedd Anna, a oedd yn gweithio yn ei siop tsips, wedi awgrymu y dylai.

'Fel mae'n digwydd, oes. Ar fîn nosau, o chwech tan un ar ddeg, nos Lun a nos Wener. Mae gen i rywun yn dod ar y penwythnosau.'

'Faint ydi'r cyflog?'

Buont yn trafod telerau, a daethant i gytundeb.

'Dechrau nos Lun nesa?'

Ystyriodd Josie am funud, a fflachiodd pob math o luniau trwy'i phen—o waith cartref a Rod a chwilio am fflat a phwyllgorau—ac edrychai'r cyfan yn amhosib.

Ond byddai'n rhaid iddi ei wneud yn bosib. Ni fyddai ei mam yn ennill rhyw lawer am dipyn, a doedd ei phensiwn gwraig weddw ddim yn cyrraedd ymhell.

'Iawn, mi gymra i'r swydd!'

'Ardderchog.' Ysgwydasant ddwylo dros y cownter. 'Galwa fi'n Gino, gyda llaw,' meddai.

Aeth Josie'n ôl i ddweud wrth ei mam, a doedd hithau ddim yn hapus.

'Mi eith popeth yn iawn, Mam. Mae'n rhaid imi roi cynnig arni.'

'Wel, ti ŵyr! Ond os bydd dy waith ysgol di'n diodda mae'n rhaid iti addo i mi y rhoi di'r gora i'r swydd.'

Roedd Mrs McCullough wedi bod yn gweld asiant ystâd ac wedi cael cyfeiriad dau fflat posib, ac wedi gweld un arall mewn ffenest siop bapur. 'Well inni'i chychwyn hi?'

Roedd y fflat cyntaf ar y prom, efo golygfa o'r môr.

'Dim ond am chwe mis y galla i 'i osod o ichi,' meddai'r ddynes ar unwaith. 'Mae 'na ymwelwyr ynddo fo am weddill y flwyddyn.'

'Mi fasa chwe mis yn iawn,' meddai Mrs McCullough.

Hebryngodd y wraig hwy i fyny'r grisiau i'r ail lawr. Roedd y trefniadau'n ddigon tebyg i'r hyn roedden nhw wedi arfer â nhw yn nhŷ'r Oswalds; byddai'n rhaid iddynt fynd trwy'r tŷ i gyrraedd y fflat.

'Dwi'n cadw'r lle fel pin mewn papur, fel y gwelwch chi. Mi fydda i'n deud bob amser y gallech chi fwyta oddi ar y llawr.' Aeth â hwy i mewn i'r fflat bychan a oedd yn cynnwys dwy stafell a chegin fechan mewn cwpwrdd. 'Mi gewch rannu'r stafell molchi ar y llawr islaw. Mi allwch gael bàth bob un ddwywaith yr wythnos, ond nid yn y boreau. Ac mi fydda i'n disgwyl gweld y bathrwm yn lân bob tro.' Edrychodd ar Josie. 'A dydan ni ddim yn hoffi unrhyw fynd-a-dod ar ôl hanner awr wedi deg.'

Aethant o gwmpas y stafelloedd pin-mewn-papur heb ddweud dim, a gweld eu bod wedi'u dodrefnu'n iawn, er bod y lliwiau melyn a brown braidd yn gyfoglyd. Safodd y wraig bin-mewn-papur gan aros iddyn nhw benderfynu.

Crafodd Mrs McCullough ei gwddw a dweud, 'Neis iawn. Mi, ym . . . mi fydd raid inni drafod y peth gynta.'

Ddylen nhw ddim trafod yn rhy hir, meddai'r wraig; roedd 'na dipyn o fynd ar fflatiau mor dda â'i hun hi.

'Na,' meddai Josie pan oedden nhw tu allan i'r giât.

'Dwi'n cytuno,' meddai ei mam.

Doedd y fflat nesa ar y rhestr fawr o fflat o gwbl—dim ond dwy stafell mewn clamp o dŷ, a gorfod rhannu'r cyfleusterau, ond roedd mewn rhan braf o'r dre. Ac roedd yn rhad, yn enwedig yn yr ardal honno.

'Dydi'r stafelloedd ddim yn ddelfrydol,' meddai Mrs McCullough, 'ond mi allen neud y tro am dipyn.'

Roedd y tŷ'n fawr, ac ar ei ben ei hun, mewn gardd a oedd bron fel jyngl. Pwysai'r coed pîn a'r coed celyn yn erbyn y ffenestri. Piliai'r paent oddi ar fframiau'r ffenestri ac roedd y grisiau'n arwain at y drws ffrynt yn graciau i gyd.

'Digon hawdd gweld pam mae o mor rhad,' sibrydodd Mrs McCullough, wrth iddyn nhw aros i'r drws gael ei agor.

Ymddangosodd hen ŵr siriol ar y gris uchaf. 'Dowch i mewn, ferched,' meddai, 'dowch i mewn!' Yn ôl ei olwg, fasa fo ddim yn poeni pryd y deuai Josie adre fîn nos. Dilynasant ef ar hyd y lobi ddigarped ac i fyny'r grisiau noeth. Doedd dim cwestiwn o fwyta oddi ar y llawr yma!

Roedd y tŷ wedi'i osod i nifer o wahanol denantiaid, meddai, a phawb yn rhannu'r gegin a'r ddau fathrwm. Pan ofynnodd Mrs McCullough faint oedd yn aros yno i gyd, doedd o ddim fel petai'n siŵr iawn, ond wrth iddi hi bwyso arno, fe ddywedodd efallai fod yna wyth.

'Hynny ydi, deg gan ein cynnwys ni?'

'Rhywbeth felly. Ond mae'r gegin yn un fawr.'

Doedd y llofftydd yn yr atig ddim yn rhai mawr. Ond wedyn doedd y rhent ddim yn uchel chwaith, fel y dywedodd y dyn. Gallai'r gwlâu yn hawdd fod â chwain ynddynt yn ôl eu golwg, ac ymddangosai'r cadeiriau fel petaen nhw'n siŵr o hollti petaech yn eistedd arnynt. Doedd fawr ddim arall yn y stafelloedd.

'Falla y bydd 'na stafelloedd mwy ar gael yn fuan.'

'Oes rhywun yn gadael?' gofynnodd Mrs McCullough.

'Mewn ffordd o siarad,' winciodd.

Aethant i gael golwg ar y stafelloedd molchi wedyn. Edrychent yn hen ffasiwn, fel petaent heb eu newid o gwbl er pan adeiladwyd y tŷ yn oes Fictoria. Fe fyddent yn hardd oni bai fod y bàth yn wyrdd a'r bowlenni molchi'n we o graciau.

Fe gâi Mrs Pin-mewn-papur ffit, meddyliai Josie gan grychu'i thrwyn. Doedd hi'i hun ddim yn wirionllyd o ffyslyd ynglŷn â glanweithdra, ond roedd meddwl cael bàth yn fan hyn a rhoi'i thraed ar y linolewm pwdr yn gwneud i'w chroen grebachu. Ac am y toiledau, roedden nhw tu hwnt!

Roedd dau hen ddyn yn coginio ar y stôf nwy hen-ffasiwn yn y gegin. Pesychai un nes bod ei wyneb yn biws. Ai fo oedd y tenant a oedd yn debyg o ymadael yn fuan? Poerodd i hances bygddu ac ailddechrau ffrio'i wy. Arogleuai'r stafell o fresych a chathod. Penderfynodd

Josie a'i mam ddianc cyn gynted ag y gallen nhw, ac ymlwybro tua'r trydydd fflat—a'r olaf ar eu rhestr.

Un arall o frîd Mrs Pin-mewn-papur oedd yn gofalu am y fflat yma, ond o leiaf roedd y fflat yn hunangynhaliol efo'i fynedfa'i hun wrth ochr y tŷ. Ac roedd y dodrefn yn weddol newydd ac yn lliwgar. Nodiodd Josie a'i mam ar ei gilydd. Fe allen nhw fforddio'r rhent dim ond iddyn nhw fod yn ofalus o bob dimai.

Craffai'r wraig yn amheus ar Josie, ac meddai, 'Nid chi yw nith Glad Oswald, ie? Yr un aeth ar yr orymdaith?'

Roedd hi'n ffrind i Anti Gladys, felly dyna ddiwedd ar hyn'na. Camodd y fam a'r ferch yn ôl i'r stryd.

'Beth am chwilio am babell?' meddai Josie.

PENNOD 11

'Mae'r postman am iti lofnodi am y llythyr 'ma, Josie,' gwaeddodd Mrs Hunter o'r drws ffrynt.

Edrychai'r amlen yn swyddogol iawn a gwyddai hithau ar unwaith beth fyddai'r cynnwys. Roedd 'na lythyr arall iddi hi hefyd, un personol, efo marc Belfast arno, wedi'i gyfeirio yn llawysgrifen ei ffrind Rachel. Aeth â'r ddau lythyr efo hi i'w llofft.

Rhwygodd yr un swyddogol ar agor gynta. Gwŷs yn dweud wrthi am ymddangos yn y llys sirol ar ryw ddyddiad ym mis Tachwedd i ateb cyhuddiad o rwystro mynediad. Felly roedd yn mynd i ddigwydd go-iawn. Tan rŵan, rhywbeth i siarad amdano oedd o, heb fod yn hollol real. Nododd y dyddiad yn ei dyddiadur a sylwi mai'r Llun cyntaf ar ôl hanner tymor oedd o. Fe fuon nhw'n trafod tybed ddylen nhw dalu'r dirwyon neu beidio. Dywedai rhai, fel Felicity a Marilyn, fod eu teulu'n pwyso arnyn nhw i dalu, ac nad oedd ganddyn nhw fawr o ddewis, ond roedd eraill, fel Anna, yn dilidalio. Mae'n debyg na fyddai Jack a Phil yn talu. Na Josie, er nad oedd hi wedi penderfynu'n derfynol eto chwaith. Fe allai ddibynnu ar gyflwr iechyd ei mam. Dywedai Khalil y byddai'n rhaid iddo fo dalu, er mwyn ei dad. 'Allwn ni ddim fforddio gormod o drwbwl.'

Rhoddodd Josie gylch coch o gwmpas y dyddiad a chau'i dyddiadur.

Yna trodd at ei llythyr arall. Ia, roedd hi'n iawn, llythyr oddi wrth ei hen ffrind Rachel ydoedd. Roedden nhw wedi dechrau'r ysgol gyda'i gilydd yn bump oed. Doedd dim a allai eu gwahanu ar ôl yr holl flynyddoedd. Roedd Rachel wedi sgriblo tudalennau ar dudalennau mewn gwyrdd—roedd hi'n hoffi beiros gwyrdd am ryw reswm—yn adrodd holl hanes eu ffrindiau, ac ar y diwedd fe ddywedodd, 'Pam na ddoi di draw dros hanner-tymor? Mi faswn wrth 'y modd yn dy weld. Ac mi fasa Brian hefyd.' Brian oedd enw'i brawd, ac roedd ef a Josie wedi bod yn mynd allan efo'i gilydd am flwyddyn.

Wrth ailddarllen y llythyr, teimlodd Josie hiraeth mawr am Ogledd Iwerddon. Fe roddai rywbeth am gael gweld Rachel a Brian unwaith eto, a cherdded strydoedd Belfast. Ond sut y gallai fforddio mynd? Byddai'n rhaid iddi gynilo pob ceiniog a enillai yn y Dylluan Wen i dalu rhent y fflat pan gaen nhw un.

*   *   *   *

Roedd hi'n dawel yn y caffi rhwng chwech a saith. Rhoddodd hynny gyfle i Gino gyflwyno Josie i Mrs Mason, a oedd yn gweithio yn y gegin, a dangos iddi ymhle'r oedd pob dim, sut i drin y til ac yn y blaen. Roedd am ei gadael ar ei phen ei hun fel y gallai fynd i gadw llygad ar un o'i fusnesau eraill—y siop tsips a hufen iâ lle'r oedd Anna yn gweithio ddwy noson yr wythnos.

'Iawn rŵan?' meddai Gino.

'Iawn,' meddai Josie.

Cyn i Gino adael, gofynnodd a gâi osod un o'r posteri gwrth-niwclear yn y ffenest. Pendronodd am funud, sgrytian ei ysgwyddau, gwasgu'i wefusau a dweud na.

Agorodd ei ddwylo allan. "Drycha, dydw i ddim o blaid yr orsaf 'ma mwy na chditha, ond rhaid i mi feddwl am 'y nghwsmeriaid. Falla na fydd rhai ohonyn nhw'n hoffi gweld hwn'na'n y ffenest ac y byddan nhw'n gwrthod dod i mewn. Mae gen i lot o blant i'w bwydo.'

'Ond 'dach chi ddim am iddyn nhw gael eu gwenwyno gan ymbelydredd chwaith, yn nac ydach?'

'Reit, paid ti â dechra pregethu wrtha i!' Cododd ei ddwylo ac ysgwyd ei ben fel petai'n ymwybodol ei fod yn anghyson.

'Ga i ofyn i'r cwsmeriaid lofnodi'r ddeiseb 'ta? Mi gadwa i hi dan y cownter.'

'O, olreit 'ta. Ond bydd yn ofalus i bwy ti'n gofyn.'

'Wnewch chi lofnodi?'

'Nes ymlaen,' meddai a gadael.

Gwnaeth Josie goffi i ddwy wraig, a rhoi bisgedi siocled iddyn nhw hefyd. Glanhawyr oedden nhw, newydd orffen eu gwaith yn yr ysgol. Eisteddasant wrth y ffenest, a chicio'u sgidiau oddi am eu traed, gan smygu a dylyfu gên. Tybed wnaen nhw lofnodi? meddyliodd Josie. Doedd dim ond un ffordd o gael gwybod.

'O, dwi ddim o blaid y petha atomig 'ma o gwbl, cariad,' meddai un. 'Ar ôl be ddigwyddodd yn Rwsia? Dim ffiars o beryg.'

'Ond nid Rwsia 'di fa'ma, Jean,' meddai ei ffrind. 'Dydyn nhw ddim mor ofalus yn fan'no'n nac'dyn—hynny ydi, does dim cymaint o ots gynnyn nhw am bobl. Rhoi nhw'n jêl a ballu.'

'O, faswn i ddim yn cytuno â hyn'na. Pobl o gig a gwaed ydyn nhw 'run fath â ninna.'

Llofnododd Jean, a dywedodd ei ffrind y buasai'n ystyried y peth. Doedd hi ddim am gael ei gwthio gan neb. Aeth y ddwy ymlaen â'u dadl. Gadawodd Josie hwy a mynd i roi sylw i ddau ddyn wrth fwrdd arall. Llofnododd y rheini'r ddeiseb heb unrhyw lol. Gweision ffarm oedden nhw. Yn poeni am yr effaith ar y cnydau. 'Fydd neb am brynu bwyd ffarm yn y cyffinia yma yn o

97

fuan. Cerwch chi i Cumbria! Siaradwch chi efo'r ffarmwrs yn fan'no am fyw drws nesa i Sellafield. Neu siaradwch efo'r pysgotwyr am y llygredd ym Môr Iwerddon. Maen nhw'n deud mai dyna'r môr mwyaf ymbelydrol yn y byd, ar wahân i'r Môr Marw.'

Daeth Phil heibio tuag wyth, yn cario'i sacsoffon mewn cês. Roedd wedi bod am wers. Archebodd ddiod ac eistedd ar un o'r stolion uchel wrth y cownter i'w hyfed. Roedd y lleill wedi mynd allan efo'r deisebau, meddai; roedd wedi trefnu i'w cyfarfod yma.

Wrth iddo fo a Josie sgwrsio, cyrhaeddodd Rod. Safodd y tu mewn i'r drws am ychydig yn gwylio Phil a Josie ac yna nodiodd a mynd at stôl wrth ben arall y cownter. Dechreuodd Josie ferwi y tu mewn. Doedd o 'rioed yn mynd i ddechrau teimlo'n eiddigeddus at Phil!

Symudodd ato i gael ei archeb. 'Pam na fasat ti'n ymuno â Phil?'

Sgrytiodd ei ysgwyddau.

'O, rwyt ti'n ddigon i godi gwrychyn unrhyw un!' Trawodd ei gwpan goffi ar y cownter nes bod y ddiod yn sblasio i'r soser.

'Dydan ni ddim yn ffrindia mynwesol.'

'Roeddech chi'n arfer bod ar delera digon da.'

Y nesaf i gyrraedd oedd mam Josie a ddywedodd helô wrth Rod a helô wrth Phil ac yna'i gosod ei hun wrth fwrdd yn ymyl y ffenest. Aeth Josie ati.

'Rydw i wedi archebu bwrdd ar gyfer fy syrjeri heddiw, a pheiriant arbennig ar gyfer triniaethau! Dwi'n teimlo 'mod i'n dechra ca'l fy nhraed dana o ddifri.'

'O gwych!'

'Ond does gen i'm syniad ble cawn ni fflat chwaith. Mae'r rhai fasa'n ein siwtio ni i gyd yn rhy ddrud.'

'Mi fydd raid inni fodloni ar rwbath llai uchelgeisiol.'

'Bydd, debyg.' Gwenodd Mrs McCullough.

Rhwng archebion llwyddodd Josie i gael sgwrs fach efo'i mam, a gair neu ddau efo Phil a Rod a oedd yn dal i eistedd un bob pen i'r cownter—Rod yn darllen papur newydd yr oedd rhywun wedi'i adael ar ôl, a Phil yn gwneud nodiadau ar gefn amlen.

Ac yna arllwysodd sŵn siarad a chwerthin trwy'r drws wrth i Anna ac Emma a Jack a Khalil frasgamu i mewn yn llawn hwyliau. Gwaeddasant ar Josie ac yna setlo wrth fwrdd yn y gornel. Ymunodd Phil â hwy.

Roedden nhw'n byrlymu siarad. Fe gawsant hwyl ar gasglu enwau, ac roedd ganddyn nhw domen o ddeisebau i brofi hynny.

'Mi fydd raid inni gael pawb i sgwennu at y cynghorwyr a'r Aelod Seneddol hefyd,' meddai Jack. 'Mae'n rhaid inni ddal ati i bwyso.'

Roedden nhw'n sôn o hyd am bwysau—y pwysau arnyn nhw, a'r pwysau roedd yn rhaid iddyn nhw ei roi ar bobl eraill.

'Mae Dad yn dechrau mynd yn nerfus wrth feddwl amdana i o flaen y llys,' meddai Khalil. 'Roedd y Sarjiant yn y siop bore 'ma'n deud y dylwn i wylio 'nghamra o hyn ymlaen.'

'Mae o'n union fel petai o'n trio pryfocio!' meddai Josie. 'Yn tynnu ar dy dad fel'na!'

Wrth sylwi ar Rod yn codi oddi ar ei stôl, aeth Josie ato'n gyflym.

'Wyt ti'n ei throi hi?'

'Wel, rwyt ti'n rhy brysur i gael sgwrs, on'd wyt?'

'Nid 'y mai i 'di hynny.'

'Ddwedais i mo hynny. Dim ond deud ffaith ro'n i.'

Cyfrodd Josie i ddeg yn ddistaw bach.

'Pryd wela i di eto?' gofynnodd Rod. 'Ar wahân i ar y ffordd i'r ysgol—yn *rhedeg?*'

'Sdim raid iti redeg efo fi.'

'Dwi isio. Wnei di gadw nos Sadwrn yn rhydd beth bynnag?'

Petrusodd. Roedd y criw'n sôn am fynd i ddisgo, ac roedd hithau wedi hanner addo mynd efo nhw. Roedd arni eisiau mynd. Ac fe allai Rod ddod hefyd. Ond fe wyddai na fyddai am ddod.

'Olreit,' meddai.

'Mi alwa i amdanat ti am saith?'

Nodiodd. Wrth iddo droi i fynd, dywedodd hi, 'Dwi *wir* isio dy weld titha hefyd.'

'Falch o glywed.' Gwenodd am y tro cyntaf ers iddo ddod i'r caffi.

'Mi gerdda i ran o'r ffordd efo ti, Rod,' meddai Mrs McCullough, gan godi. Aethant allan efo'i gilydd.

Sgwrsiodd Josie rŵan ac yn y man efo'i ffrindiau nes iddyn nhw adael yn fuan ar ôl troi deg. Ar ôl hynny, dynion wedi bod yn y tafarnau oedd y rhan fwyaf o'r cwsmeriaid, yn galw am baned cyn troi am adre. Casglodd Josie fwy o enwau ar y ddeiseb, nes bod y ddalen bron yn llawn. Cyfrodd ddau ddeg wyth. Lle i ddim ond dau arall. Ddim yn ddrwg, meddyliodd, ac o leiaf roedd hi wedi llwyddo i gyflawni rhywbeth.

Pan oedden nhw ar fin cau, daeth dau ddyn i mewn.

'Tyd rŵan, cariad, mi fedri roi paned i ni'n dau. Mae'n rhaid inni ga'l rhwbath i'n sobri ni cyn mynd adra at y misus.' Roedden nhw'n amlwg yn meddwl fod hynny'n ddigri, a dyfalai Josie sut roedd eu gwragedd yn gallu dygymod â nhw. 'Dwy baned o goffi du fel inc.'

100

'Wel o'r gora 'ta!'

Yfasant y coffi wrth y cownter. Gosododd hithau'r ddeiseb o'u blaenau.

'Hoffech chi lofnodi hon?' gofynnodd.

Plygodd y ddau ymlaen i'w darllen. Chwarddodd un o'r dynion, a chododd y llall y ddalen i fyny.

'Isio gwbod be 'di 'marn i am dy ddeiseb di?' meddai, ac yna'n araf, gan gadw'r ddalen o'i chyrraedd, fe'i rhwygodd yn ddwy reit trwy'r canol.

PENNOD 12

Ar ei ffordd yn ôl i dŷ'r Hunters teimlai Josie fel coelcerth. Tybed nad oedd 'na wreichion yn tasgu ohoni? meddyliodd. Efallai ei bod yn edrych fel tân gwyllt Guto Ffowc. A hithau ar ei beic. O leiaf gallai wenu wrth feddwl am y peth. Doedd hi ddim yn teimlo fel gwenu wrth i'r dyn rwygo'r ddeiseb yn ddau ddarn.

Gweithwyr yn yr atomfa oedd y ddau ddyn. Doedd ganddyn nhw ddim amynedd efo hi 'a'i theip', ac fe ddywedson nhw hynny wrthi, mewn iaith liwgar. Criw gwallgo . . . a ddylai fod mewn blydi carchar . . . neu eu gyrru i ffwrdd i'r armi . . .

'Ofn ych cysgod. Ddigon i godi cyfog arna i!'

Fe geisiodd Josie gadw'n dawel a siarad yn rhesymol efo nhw, ond heb lawer o lwyddiant. Ar ôl trio dal bar efo nhw am dipyn fe gollodd ei limpin a dweud wrthynt nad oedd ganddyn nhw mo'r ymennydd i feddwl ymhellach na'r pecyn pae wythnosol, ac nad oedd waeth ganddyn nhw petai gweddill y boblogaeth yn mynd i ebargofiant dim ond iddyn nhw gael eu pres cwrw.

Roedden nhw'n dal i ddadlau pan gyrhaeddodd Gino i gloi.

'Wyddwn i ddim dy fod ti'n cyflogi rhyw nytar fel'ma i weithio iti, Gino.' Taflodd y dyn y ddeiseb i'r fasged sbwriel. 'Well iti feindio dy fusnes,' meddai wrth Josie gan symud tua'r drws, 'neu falla byddi di'n difaru.'

'Ai 'mygwth i rydach chi?' gwaeddodd ar ei ôl. 'Cofiwch fod gen i *dyst!*'

Chwarddodd y dynion a chau'r drws yn glep ar eu holau.

'Rŵan 'drycha 'ma, Josie—'dechreuodd Gino.

'Roedden nhw wedi bod yn yfed.' Plannodd Josie ei dwylo i'r fasged sbwriel a thynnu'r ddau ddarn o ddeiseb allan yn llawn staeniau hufen iâ a sudd oren. Ceisiodd lyfnhau'r darnau papur ar y cownter. Edrychent fel petai ci wedi bod yn eu cnoi, ond ar ôl eu smwddio a'u glynu'n ôl efo *sellotape,* fe ellid eu cynnwys efo'r deisebau eraill. Doedd hi'n sicr ddim yn mynd i adael i'r ddau benbwl yna'i rhwystro!

'Mi rybuddiais i di,' meddai Gino. 'Dwi ddim isio trwbwl yn fan'ma. Mae'r cwsmer bob amser yn iawn, dallt? Os digwyddith hyn eto, mi fydd raid imi roi dy gardia iti.'

*   *   *   *

Y noson ganlynol, roedd y caffi'n dawelach, ar y cychwyn.

Am ychydig doedd dim cwsmeriaid o gwbl a chafodd Josie gyfle i adolygu tipyn o Ffrangeg, er na allai ganol-bwyntio rhyw lawer. Deuai pob mathau o feddyliau eraill i hofran yn ei phen—ei mam, fflatiau, Rod, yr achos llys, a Belfast hefyd. Roedd hi'n glawio tu allan, yn drwm, yn bwrw hen wragedd a ffyn, fel petai'r palmant a'r ffenestri'n cael eu fflangellu. Plygai Mrs Mason ei phen trwy'r *hatch* o'r gegin yn y cefn, efo sigarét yn ei cheg, gan wylio Josie, a gwneud sylwadau digyswllt—am y tywydd, ac am y niwsans o orfod coginio *hamburgers* er mwyn cael y ddau pen llinyn ynghyd, ac am y cyrn ar ei thraed a oedd bron â'i lladd.

Yn fuan ar ôl i'r glaw arafu, cyrhaeddodd Mrs McCullough. Gosododd ei hambarél wrth y drws i ddafnio, a hongian ei chôt law. Roedd rhywbeth yn bod, fe wyddai Josie ar amrantiad.

103

'Be sy'n bod?' gofynnodd.

'O, dim ond Anti Gladys! Fe gawson ni goblyn o ffrae pnawn 'ma ac mi gerddais i allan.'

'A lle'r ydach chi'n aros rŵan?'

'Mewn lle gwely a brecwast yn nes i fyny'r prom.'

Dywedodd Josie y gallai ddod i aros at yr Hunters ond gwrthododd ei mam y syniad ar unwaith. 'Faswn i ddim yn hapus yn gneud hynny.'

Bu'n rhaid i Josie fynd at un o'r cwsmeriaid. Galwodd ar Mrs Mason i wneud cwpanaid o goffi a chig moch i'w mam. Pan ddychwelodd dywedodd, 'Bwytwch ych cig moch rŵan! Mae gynnoch chi isio tyfu'n fawr ac yn gry on'd oes?'

Gwenodd ei mam ac ufuddhau. ''Tasan ni ond yn gallu dod o hyd i fflat! Does ond gobeithio y bydd 'na rwbath yn y *Gazette* ddydd Gwener.' Petrusodd ac yna dywedodd, 'Mae'n siŵr dy fod ti'n brysur ddydd Sadwrn?'

'Pam?'

'Mi faswn wrth 'y modd yn cael mynd i weld ffilm, a chael pryd bach o fwyd hefyd falla. Ond mi fyddi di'n gweld Rod siŵr gen i.'

Tro Josie oedd hi i betruso rŵan. Ond pan feddyliodd am ei mam yn eistedd ar ei phen ei hun mewn llety gwyddai nad oedd ganddi ddim dewis. 'Mi alla i weld Rod unrhyw bryd. Mi awn ni allan i fwynhau'n hunain, dim ond ni'n dwy. Mi fydda i wedi cael 'y nghyflog erbyn hynny!'

'Ti'n siŵr?'

'Wrth gwrs 'mod i'n siŵr.'

Sbriwsiodd ei mam drwyddi ac edrychai'n siriol wrth adael.

Edrychodd Rod yn siriol hefyd pan ddaeth i mewn. Roedd yn falch fod y caffi'n dawel a bod gan Josie amser i gael sgwrs ag ef.

'Rod—ynglŷn â dydd Sadwrn,' dechreuodd.

'Paid â deud wrtha i—!'

'Mae'n rhaid imi fynd allan efo Mam. Mae'n *rhaid* imi. Mae hi'n cael amser y diawl.'

'Mi rydw inna hefyd.'

'O, paid â bod mor ddiawledig o dwp! Wyddost ti ddim am be rwyt ti'n sôn.'

Hi oedd wedi gwylltio efo fo rŵan. Be wyddai o am galedi? Roedd ei fywyd yn rhwydd; roedd ganddo gartref cyffordddus, digonedd o arian, rhieni llawn cydymdeimlad, mam *a* thad . . .

*   *   *   *

Wedi iddo fynd ac iddi hithau dawelu, cydnabu wrthi'i hun nad oedd wedi bod yn hollol deg. Nid arno fo'r oedd y bai nad oedd ei dad wedi'i ladd gan fom a bod ganddo'i stafell ei hun ac nad oedd raid iddo weithio i ennill pres. Ond, ar y llaw arall, teimlai ei fod braidd yn hunanol wrth wrthwynebu iddi hi roi'i mam o'i flaen ef y tro hwn. Ochneidiodd a dweud wrth Mrs Mason yn y cefn, 'Mi fasa cwpanaid o goffi'n dda.' Wrth i Mrs Mason estyn cwpanaid iddi, agorodd y drws yn union fel petai corwynt y tu ôl iddo, a rhuthrodd nifer o lanciau i mewn, gan wthio'i gilydd, a chicio unrhyw gadeiriau a oedd ar eu ffordd, taflu un ar lawr, chwerthin, a thaflu un arall.

'O na!' meddai Mrs Mason. 'Nid y criw yna!'

Daeth un bachgen at y cownter a phlygu arno. Edrychai tua phedair ar ddeg neu bymtheg. 'Chwech pepsi, 'rhen chwadan,' meddai a chlywai Josie oglau cwrw ar ei wynt. Câi ei themtio i ddefnyddio cledr ei llaw i wthio'i wyneb yn ôl nes byddai'n disgyn ar ei gefn. Ond doedd hi ddim yn ffansïo cael ei hambygio gan ei bum ffrind.

'Dydw i ddim yn gwasanaethu neb sy'n siarad efo fi fel'na.'

'Glywsoch chi hyn'na—dydi hi ddim yn gwasanaethu neb *sy'n siarad fel'na!*' Ceisiodd ddynwared ei hacen. 'O ble 'r wyt ti'n dŵad, Paddy?'

Gan blygu'i braich, a dal i gadw'i llygaid arno, cododd Josie botel lemonêd wag oddi ar y llawr a'i gosod ar silff yn union dan dop y cownter.

Plygodd yntau fwy ymlaen nes bod ei wyneb o fewn dwy neu dair modfedd iddi hi. 'Mi ofynnais i am chwech pepsi.'

'Ac mi ddwedais inna nad oeddwn i'n mynd i dy wasanaethu di.'

'Dwyt ti 'rioed yn deud! Falla bydd raid inni droi'r lle 'ma â'i ben i lawr 'ta, hogia.'

Gan chwyrlïo o gwmpas fel top, cododd gadair yn uchel uwch ei ben, symudodd Josie yn ôl yn erbyn y wal ac yn ystod y funud nesaf o dawelwch clywodd Mrs Mason yn sugno'i hanadl i mewn. Yna trawodd ef y gadair ar y llawr gan dorri'i chefn a hollti un goes i ffwrdd nes ei bod yn hedfan trwy'r awyr gan chwibanu heibio clust yr unig gwsmer arall yn y caffi—sef hen ŵr a ddowciodd dan y bwrdd i'w amddiffyn ei hun. Ar ôl hynny, fel y tystiodd Mrs Mason yn ddiweddarach wrth y polîs, roedd hi fel petai tymestl wedi taro'r lle.

Llwyddodd Josie i gael ei llaw ar y ffôn ar y cownter a galw 999. Clepiodd Mrs Mason yr *hatch* ar gau a diflannu o'r golwg.

106

Clywsant seiren yn wylofain ymhen rhyw bum munud ac yna roedd goleuadau gleision yn fflachio y tu allan ac roedd ceir yr heddlu yn y stryd, a cheisiai'r llanciau ruthro ar draws ei gilydd a thros y llanast i fynd allan. Aethant yn syth i freichiau'r heddlu a cholli'u hyder fel balŵns wedi'u pigo gan nodwyddau.

Pawb ond y llanc a ddechreuodd yr holl helynt. Rhedodd oddi wrth y drws, rhoi'i law ar y cownter a llamu drosodd. Cododd Josie ei throed ar ei draws a disgynnodd yn ffradach ar ei wyneb. Agorodd Mrs Mason y drws bach yn y wal a gwthio'i phen drwyddo.

'Ddwedais i wrthoch chi 'mod i wedi bod mewn dosbarth hunanamddiffyn on'd o?' meddai Josie.

'Llawn cystal ddweda i.' Syllodd Mrs Mason o gwmpas y caffi. 'Mi fasa rhywun yn meddwl fod bom wedi disgyn ar y lle. Fydd Gino ddim yn blês efo hyn.'

Daeth cwnstabl i nôl y llanc a oedd wedi disgyn, a rhythodd hwnnw'n sarrug ar Josie, ac roedd fel petai ar fin poeri arni oni bai i'r plisman droi'i ben a'i arwain i ffwrdd. Aeth Josie at y drws i'w gweld yn gadael. Fyddai ei mam ddim yn falch o glywed am hyn chwaith, ac fe fyddai'n siŵr o geisio'i pherswadio i roi'r gorau i'w swydd. Be 'di'r rheswm, tybed, ddywedai'i mam, fod popeth fel petai'n digwydd pan fyddi di o gwmpas, Josie?

'Ydach chi'n iawn?' Yr heddferch glên honno oedd yno.

'Ydw'n berffaith iawn,' meddai Josie.

'Wedi mynd yn ormod o lancia mae arna i ofn,' meddai Mrs Mason, gan ymuno â hwy. 'Meddw, neu ar gyffuria. Y naill neu'r llall. Dwn i ddim ble mae'r byd 'ma'n mynd wir. Dwi'n falch nad ydw i'n ifanc.'

'O, mae 'na dda a drwg ymhobman,' meddai'r heddferch yn siriol. Cymerodd fraich Josie.

'Dowch o'na ac mi wnawn ni gwpanaid o de ichi.'

Cyrhaeddodd y Sarjiant pan oeddynt yn yfed eu te, y tair ohonynt yn eistedd wrth fwrdd wedi'i amgylchynu gan gadeiriau wedi'u malu a byrddau â'u traed i fyny.

'O, *chi* sy 'ma, ia?' meddai, y funud y gwelodd Josie.

'Doedd a wnelo hi ddim â'r peth, Sarjiant,' meddai'r heddferch ar unwaith.

'*Fi* alwodd y polîs,' meddai Josie.

'Felly rydach chi'n meddwl y gallwn ni fod o help *weithia?*'

'Awgrymais i ddim byd gwahanol.'

Syllai'r heddferch ar ei the gan rwbio'i bys ar ochr ei thrwyn. Roedd fel petai'n dweud: gofalus rŵan. Derbyniodd Josie ei chyngor ac ni ddywedodd fwy. Roedd hi wedi cael digon o drafferth am un noson.

* * * *

Mwynhaodd Josie dreulio'r Sadwrn efo'i mam, ac ar y dydd Sul aeth efo Anna i gasglu enwau ar y ddeiseb ar ôl i honno orffen ei gwaith yn y cartre cŵn. Aethant ar eu beics gan eu bod am ganfasio ardal ar odre'r dre yn ymyl glan y môr. Roedd y rhan fwyaf o'r tai'n rhai drud, wedi'u lleoli'n uchel gyda golygfa dda dros y môr. Doedd y rhan fwyaf o'r perchenogion ddim yn fodlon llofnodi.

'Na, dim diolch,' meddai un wraig, gan hanner gau'r drws arnynt fel petaent yn gwerthu brwsys dannedd neu duswau o rug.

'Ond meddyliwch y fath ddistryw ddigwyddodd yn Chernobyl,' meddai Josie. 'Ac nid dyna ddiwedd yr holl beth. Mi all miloedd farw o ganser yn ystod yr hanner can mlynedd nesa.'

'Os esgusodwch chi fi,' meddai'r wraig a chau'r drws.

'Yr hen sguthan wirion,' meddai Josie. 'Wneith arian mo'i chysgodi hi rhag ymbelydredd.'

Roedd y tŷ nesaf yn fwy hyd yn oed, tŷ Fictoraidd, fel rhyw gastell bychan, gyda phlanhigion yn cripian ar hyd y waliau. Gwraig weddw oedrannus yn byw ar ei phen ei hun oedd biau'r lle, ac fe'u gwahoddodd i'r lolfa a rhoi te iddynt o debot arian, a chynnig bara brith iddynt ar blât arian. Cawsant sgwrs hir. Roedd y wraig hon yn poeni'n arw am bobl Lapland, oherwydd fod eu ceirw wedi dioddef ar ôl damwain Chernobyl. Fe dreuliodd lawer o amser pan oedd yn iau yn yr Arctig ac fe wnaeth astudiaeth o'r Lapiaid.

Fe lofnododd hi'r ddeiseb. 'Â chroeso,' meddai. 'A dowch yn ôl i 'ngweld i eto.' Mynnodd roi cyfraniad o ugain punt at y costau.

'Mi fydd hyn'na'n help mawr,' meddai Anna. 'Diolch o galon.'

Byddent yn siŵr o ddod yn ôl, meddent.

Cyn troi'n ôl, aethant o gwmpas y maes carafanau. Roedd y rhan fwyaf o'r carafanau'n wag dros y gaeaf, ond roedd rhai ohonynt yn cael eu defnyddio trwy'r flwyddyn.

'Wrth gwrs!' meddai Josie, wrth iddyn nhw fynd ar eu beics trwy'r giatiau. 'Pam na feddyliais i am hynny cynt? Mi fasa carafán yn ddelfrydol!'

'Carafán!' meddai Mrs McCullough. Eisteddent yn ei stafell fach gyfyng hi yn edrych allan ar iard gefn yn llawn o finiau sbwriel a bocsys.

'Gyda golygfa o'r môr,' meddai Josie. 'Ac maen nhw llawn cymaint â fan hyn.'

'Ond mi fasa 'na ddwy ohonon ni yno.'

'Mae 'na deulu o bedwar yn byw yn un.'

'Wel olreit 'ta, mi awn ni i gael golwg arnyn nhw.'

Roedd hi'n dechrau nosi. Cymerodd hanner awr i gerdded i'r maes carafanau. Yn ystod rhan ola'r daith, lle nad oedd dim palmant, roedd raid iddynt neidio i ffos y clawdd bob tro y gwelent oleuadau car yn nesu.

'Ddim yn rhyw gyfleus iawn ydi o?' meddai Mrs McCullough. 'Yn enwedig yn y twllwch.'

'Mi allech gael beic. Roeddech chi'n arfer bod ag un.'

'Ond dydw i ddim wedi bod ar feic ers oes.'

'Fyddech chi fawr o dro'n ailafael.'

Edrychai'r maes carafanau braidd yn unig yn y tywyllwch, gyda dim ond rhyw ychydig o oleuadau'n sirioli'r lle yma ac acw. Melltithiai Josie ei hun am beidio ag aros tan drannoeth er mwyn i'w mam gael gweld y lle yng ngolau dydd, ond, fel arfer, unwaith roedd hi wedi cael syniad yn ei phen, ni allai aros.

Roedd y perchennog yn byw mewn byngalo newydd yn ymyl y fynedfa. Cawsai Josie air ag ef o'r blaen. Rhoddodd allweddi tair carafán wahanol iddynt a dweud wrthynt am gymryd eu hamser. 'Does dim brys.'

'Dwi'n siŵr nad oes,' meddai Mrs McCullough wrth iddyn nhw ddod allan o'i fyngalo twym i wynebu'r awel fain a oedd yn chwythu o'r môr.

Rhoddodd Josie ei braich am fraich ei mam. 'Dowch o'na, gawn ni olwg ar rai o'r cartrefi delfrydol 'ma ar olwynion!'

Roedd yr un gyntaf yn union wrth ochr y teulu o bedwar. Gellid clywed sŵn eu set deledu a sgrechian un o'r plant dipyn o bellter i ffwrdd.

'Go brin mai fan hyn ydi'r lle gora i gael carafán,' meddai Mrs McCullough.

Aethant heibio honno at garafán arall. Doedd neb yn byw yn y gornel yma o'r maes. Edrychai'r carafanau i gyd yn dywyll a thawel.

'Gwrandwch ar y môr!' meddai Josie.

Arhosodd y ddwy'n llonydd gan wrando ar y tonnau'n rhuo a sblasio wrth daro'r creigiau islaw. Roedd y maes wedi'i leoli ar benrhyn a ymestynnai allan i'r dŵr.

'Mm,' meddai Mrs McCullough, dan grynu ychydig. Hoffai sŵn y môr, ond doedd hi ddim yn siŵr sut y teimlai petai'n eistedd mewn carafán ar ei phen ei hun ar noson dywyll yn gwrando ar y môr a chŵyn y gwynt. 'Wedi'r cwbl, mi fasat ti allan bron bob nos, Josie.'

Roedd Josie eisoes yn agor y drws ac yn cynnau'r golau. Aethant i mewn a chyfaddefodd ei mam fod llawer mwy o le yno nag a ddychmygodd hi. Roedd y garafán wedi'i chynllunio'n dda, gyda lle i bopeth.

'Mae'n llawer brafiach na'r stafell 'na s'gynnoch chi,' meddai Josie. 'Yn lanach ac yn oleuach. 'Drychwch— rhewgell, stôf, wardrob, toiled—'

'Popeth sydd ei angen mewn cartre modern!' meddai Mrs McCullough. Doedd hi ddim yn meddwl llawer o'r toiled cemegol, ond cytunai nad oedd gan dlodion fawr o ddewis, a doedd hi ddim am wrthod y lle am y rheswm hwnnw'n unig. 'Ond mae 'na deimlad mor unig yma,' meddai. Rhythodd allan trwy'r drws agored i'r nos dywyll.

'Gadewch inni weld lle mae'r llall,' awgrymodd Josie.

Roedd honno yn ymyl y fynedfa, ac er nad oedd hynny'n apelio fawr ati hi, roedd fwy at ddant ei mam, oherwydd gallai weld goleuadau'r byngalo oddi yno. Ac roedd carafán arall efo pobl yn byw ynddi ddau ddrws i fyny. Gŵr a gwraig oedrannus oedd yn byw yn honno, meddai Josie; pobl wedi ymddeol ar ôl bod yn gweithio mewn ffeiriau, ac yn methu stumogi'r syniad o fyw mewn tŷ go-iawn. Ond gwyddai y gallai ei mam stumogi'r syniad hwnnw'n iawn.

Eisteddodd Mrs McCullough i feddwl dros y peth. Gorfododd Josie ei hun i gau'i cheg am dipyn. Roedd arni hi *eisiau* dod i fyw yma, nid am fod angen lle arnyn nhw, ond am ei bod yn hoffi'r syniad o fyw mewn carafán. Hoffai'r syniad o beidio â chasglu gormod o feddiannau. Roedd llawer llai o drafferth felly. Fe allech godi'ch pac unrhyw funud a theithio'r byd heb ddim i'ch clymu.

'Faint oeddet ti'n ddeud oedd y rhent?' gofynnodd ei mam.

Dywedodd Josie wrthi. 'Mi fydda'n rhaid inni addo'i chymryd hi am chwe mis i'w chael hi am y pris yna.'

'Dros y gaea i gyd. O wel, beth am inni'i chymryd hi? Does gynnon ni ddim i'w golli.'

Roedd yna fanteision mewn peidio â bod â dim i'w golli, meddyliodd Josie, wrth iddi orwedd yn ei bỳnc dan y ffenest ar y noson y symudson nhw i'r garafán. Agorodd y llenni er mwyn cael gweld y sêr a'r sleisen felen o leuad, ac wrth iddi wrando gallai glywed y tonnau'n hisian. Câi bleser wrth fod mor agos at fyd

112

natur. Doedd ganddi ddim eiddigedd at ei ffrindiau yn eu tai solet.

Pan ddeffrodd yn y bore, cododd ar unwaith, molchi a gwisgo amdani a mynd allan. Roedd yr awyr ffres yn wef-reiddiol. Cerddodd i gefn y garafán a gweld fod ganddyn nhw olygfa o'r arfordir i gyd oddi yno. Dyna'r tro cyntaf iddi gael cyfle i gael golwg o gwmpas yng ngolau dydd. A gwelodd fod ganddyn nhw olygfa glir o'r orsaf niwclear hefyd.

'Mi alla i 'u gwylio nhw'n gweithio os 'drycha i drwy sbienddrych.'

'Mi fedri weld Dad,' meddai Anna. 'Gawson ni ffrae arall neithiwr. Roedd o wedi clywed imi fod yn deisebu eto. Mae o'n deud y bydd raid imi roi'r gora iddi neu fynd.'

'Elli di gael y gwely sbâr yn tŷ ni,' meddai Emma.

'Diolch, Em, ond allwn i ddim aros yn hir efo ti yn na allwn? Na, fedrwn i ddim. Biti na allwn i fyw mewn carafán fel ti, Josie, ond mi fasa'n rhaid imi gael swydd amser-llawn cyn y gallwn i fforddio hynny.'

'Gadael ysgol?' meddai Josie.

'Fe allai ddod i hynny.'

Ac fe wnaeth. Ar ôl ffrae arall efo'i thad cerddodd Anna allan. Aeth at yr Hunters i aros, ac ymhen dau ddiwrnod roedd hi wedi cael swydd mewn arch-farchnad. 'Dydw i ddim yn debyg o neud ffortiwn, ond mi alla i fyw ar y cyflog.'

'Beth am dy arholiadau Lefel A di?' gofynnodd pawb. Ond doedd hi ddim am ildio ar y pen hwnnw, meddai; byddai'n gallu astudio fin nos. Rhoddodd y gorau i'r siop tsips, a doedd fawr o ots ganddi am hynny, a'r gwaith yn y cartre cŵn—ond doedd hi ddim yn rhy falch o hynny.

Aeth Josie â hi i weld Mr Walker, perchennog y maes carafanau, a threfnwyd iddi rentu'r garafán wrth ochr Josie a'i mam am bris gostyngol. 'Dim ond hi'i hun sydd 'na,' meddai Josie, 'a dydi hi fawr o beth i gyd.'

'O'r gora 'ta! Mi allech chi berswadio unrhyw un o unrhyw beth, Josie!'

Felly fe ddechreuodd Anna weithio a symudodd i fyw ar y maes carafanau. Âi hi a Josie ar eu beics i'r dre yn y bore, ac weithiau, pan ddychwelai Josie o'r caffi fin nos a gweld fod golau Anna yn dal ymlaen rhoddai gnoc ysgafn ar ei drws a mynd i mewn am sgwrs sydyn. Roedd gweithio wrth y til yn yr archfarchnad yn drybeilig o ddiflas, meddai Anna, ond roedd yn ei siwtio hi'n iawn dros dro gan nad oedd yn gofyn am unrhyw straen meddyliol. Y funud y gadawai'r siop gallai anghofio amdani a chadw'i meddwl yn rhydd ar gyfer Cemeg a Bioleg. Bob dydd Sul, deuai i garafán y McCulloughs am frecwast. Dydd Sul oedd y diwrnod gorau yn yr wythnos iddynt.

Dyna'r diwrnod, hefyd, pan ddeuai Mrs Gibson i ymweld â'i merch. Deuai â dillad glân a chynfasau a digon o fwyd ar gyfer Anna tan ganol yr wythnos. Cysgai Mr Gibson ar brynhawniau Sul.

Un pnawn pan oedd Jack wedi dod i weld Anna a Mrs Gibson wedi galw am baned a sgwrs gyda Mrs McCullough, llithrodd Josie o'r garafán a mynd i lawr ar y creigiau. Chwistrellai'r dŵr trwy'r awyr ac roedd raid i Josie gadw draw i osgoi cael ei gwlychu'n wlyb domen. Roedd arni angen rhyw funud iddi'i hun pan nad oedd yn rhuthro o le i le, pan allai gael egwyl i feddwl.

Roedd tri pheth i feddwl amdanynt.

Un oedd yr achos llys a oedd o hyd ar gyrion eu

114

meddyliau gan fod y dyddiau yn nesu'n raddol erbyn hyn. Tair wythnos i fynd! Uwchben brecwast y bore hwnnw roedd ei mam wedi dweud, 'Dwi'n gobeithio'ch bod chi'ch dwy'n mynd i dalu'r ddirwy ac osgoi mynd i'r carchar?' Atebodd hi ac Anna eu bod yn dal i ystyried y peth. Ond roedd raid i Anna ystyried ei swydd hefyd.

Yr ail beth yr oedd Josie'n meddwl amdano oedd pa un a âi i Belfast dros hanner-tymor neu beidio. Pan ysgrifennodd yn ôl at Rachel i ddweud na allai fforddio mynd, ymatebodd ei ffrind trwy anfon tocyn dwyffordd ati. 'Does gen ti ddim esgus rŵan!' Oedd hi'n chwilio am esgus? Sylweddolodd Josie efallai ei bod, oherwydd er iddi gael y tocyn, doedd hi ddim yn siŵr o hyd oedd hi am fynd. Golygai ailagor hen friwiau, briwiau nad oedd eto wedi cau'n iawn. Un briw yn arbennig, a doedd hwnnw ddim mor hen â hynny.

Roedd hi'n meddwl llawer am ei thad y dyddiau hyn; roedd hi o hyd yn meddwl tybed beth ddywedai ef mewn gwahanol sefyllfaoedd. Be ddywedai ef amdani'n mynd i garchar? 'Aros,' dywedai'n aml, 'paid â gwneud dim byd nes dy fod yn gwybod yn union be sy arnat ti isio'i wneud.' A dyna lle'r oedd hi'n aros.

A'r mater arall a oedd yn llenwi'i meddyliau oedd Rod. Doedden nhw ddim wedi cymodi ar ôl y noson honno yn y caffi pan wylltiodd hi efo fo a dweud nad oedd ganddo ddim sensitifrwydd nac unrhyw ddealltwriaeth o'r argyfyngau roedd pobl eraill yn gorfod eu hwynebu. Gwyddai iddi fynd dros ben llestri, a gwyddai hefyd nad oedd ganddi ddawn i ddweud sori ac i syrthio ar ei bai. Pan welent ei gilydd yn yr ysgol nodient wrth basio, fel pe i ddweud, 'Dwi'n dy weld ti,' ond cadwent eu pellter. Wyddai hi ddim beth i'w *feddwl* o Rod, ond pan welai ef teimlai'r gwaed yn rhuthro i'w hwyneb a churiad ei chalon yn cyflymu.

Felly, pan edrychodd i fyny a'i weld yn dod heibio ymyl y creigiau, digwyddodd yr un peth. Roedd yn union fel petai meddwl amdano wedi peri iddo ymgnawdoli o'i blaen. Ond roedd ei bresenoldeb yn hollol real. Gwelai goch tywodlyd ei wallt ar gefndir llwyd y creigiau, a'r ffordd y cododd ei ysgwyddau pan welodd hi ac aros. Edrychai mor gyfarwydd, o ran y ffordd y safai, ac y daliai ei ben. Ni symudodd ef na hi am dipyn. Roedd y gwylanod yn gweu trwy'i gilydd uwchben gan lenwi'r awyr â'u sŵn cras, a daliai'r môr i drybowndian yn erbyn y creigiau.

Yna, yn araf, rhoes Rod ei droed i fyny ar y graig o'i flaen a dechrau symud tuag ati. Cododd hithau, a chan gymryd ei hamser, aeth hithau i'w gyfarfod ef. Mae hyn yn hollol wallgo, meddyliodd, wrth iddi symud; byddai'n well petaen ni'n gadael llonydd i'n gilydd am byth.

Gafaelodd yn ei llaw ac ildiodd hithau, a cherddasant dros y creigiau a chamu i lawr tua'r tywod ar yr ochr arall. Yna, heb yngan gair, rhoddodd ef ei fraich am ei chanol a cherddodd y ddau ymlaen ar hyd y traeth.

Fe aeth Josie i Belfast dros hanner-tymor. Teithiodd gyda'r trên i Lerpwl lle daliodd y llong am Belfast. Roedd swn ac arogleuon y dociau'n ei chynhyrfu ac roedd yn falch rŵan iddi benderfynu mynd.

Am ran gynta'r daith arhosodd ar y dec, yn meddwl am eu hymgyrch, wrth i'r arfordir Seisnig bellhau. Roedd y deisebau wedi'u hanfon erbyn hyn, efo rhyw ugain mil o enwau arnynt, ac roedden nhw wedi sgwennu at bawb a allai fod â dylanwad o'u plaid, wedi perswadio a chrefu ar siopwyr i arddangos posteri, wedi siarad â phobl ar y strydoedd, ac ymhen wythnos byddent yn ymddangos yn y llys i wynebu'r cyhuddiadau. Tybed a wnâi'r cyfan unrhyw rithyn o wahaniaeth? Wnaen *nhw* dalu unrhyw sylw? Roedden *nhw* bob amser fel petaen nhw'n siŵr o wneud fel fyd fyw fynnen nhw, gan anwybyddu dymuniadau'r bobl, ond ar adeg etholiad. Yr unig beth a boenai'r rhan fwyaf o Aelodau Seneddol, meddai Mr Greig, oedd y posibilrwydd o golli seddau. Ond roedd eu Haelod Seneddol nhw yn ymddangos fel pe bai'n gwrando. Fe ysgrifennodd i ddweud ei fod yn pwyso'n galed am ymchwiliad cyhoeddus arall. 'Mae'n amlwg i mi *fod* y farn gyhoeddus wedi newid,' meddai pan aethant i'w weld un bore Sadwrn.

Ond fyddai hynny'n amlwg i'r Prif Weinidog a'r llywodraeth?

Roedd Rod yn dweud y byddai'n gas ganddo fod yn Aelod Seneddol. Ond dyna fo, roedd yn well ganddo fywyd tawelach, mwy preifat na Josie, fel y dywedodd wrthi unwaith. 'Dwi'n licio bod yn dawel a phreifat hefyd ar adegau,' meddai wrtho. Roedd hi'n cael bywyd tawel a phreifat iawn rŵan, ar y llong, yn hollti trwy donnau geirwon Môr Iwerddon.

Bu ei pherthynas â Rod yn weddol ddidramgwydd er y Sul hwnnw pan ddaethant yn ôl yn ffrindiau unwaith eto. Cyfarfyddent rŵan ac yn y man i fynd am dro ar y traeth neu i yrru ar feics yn y wlad! Ddaeth o ddim i'r caffi wedyn. Roedd hi bron yn amhosib cael sgwrs iawn yn fan'no, yn enwedig pan fyddai rhai o'i chriw hi yno. Ei chriw *hi*, fel y galwai Rod hwy. Nid ei griw ef. Ond o leiaf doedden nhw ddim wedi cael ffrae o gwbl er dydd Sul!

Roedd hi'n bwrw glaw mân, ac felly doedd dim posib gweld ymhell iawn. Diflanasai'r arfordir Seisnig o'r golwg, ac yn sgîl hynny gadawodd Josie i'w meddyliau grwydro oddi wrth ei bywyd yn Lloegr yn ôl at ei hen fywyd, ac at y wlad roedd hi'n anelu tuag ati rŵan.

Aeth rhai milwyr heibio iddi ar y dec, eu sgidiau hoelion yn swnllyd, a'u lleisiau'n peri iddi godi'i phen ac edrych o'i chwmpas. Roedd nifer o filwyr ar y llong, gan ei hatgoffa fod pethau'n wahanol yn Iwerddon. Yn ystod y pedwar mis diwethaf roedd hi wedi dod i arfer â byw heb feddwl am fomiau neu am osgoi mynd i rai llefydd arbennig. Ond cafodd ei hatgoffa am hynny wrth gael ei holi a'i harchwilio'n fanwl cyn cael mynd ar y llong.

Aeth i lawr grisiau am ychydig oriau, a chyrlio fel cath yng nghornel y lolfa i ddarllen, ac yna dychwelodd ar y dec rhag ofn iddi golli gweld yr olwg gyntaf ar arfordir Iwerddon.

Yr oedd i'w weld yn barod, yn disgleirio'n wan ar y gorwel. Teimlai gyffro unwaith eto. Prin y gallai aros i'r llong stemio i mewn i'r porthladd. Teimlai ei bod yn mynd adre!

Roedd Rachel a Brian yn aros amdani. Taflodd ei

breichiau amdanynt ill dau a buont yn cofleidio'i gilydd yn un cwlwm tyn am dipyn, gan siarad pymtheg yn y dwsin a chwerthin.

'Mae'n grêt dy weld ti eto, Josie!'

'Mae'n grêt bod yn ôl.'

Daethant â char eu tad i'w nôl. Gyrrai Brian ac eisteddodd Josie yn y sedd flaen yn ei ochr, a Rachel yn plygu ymlaen o'r sedd tu ôl, gan gadw'i llaw ar ysgwydd Josie.

Yn syth ar ôl croesi Pont Albert bu'n rhaid iddynt aros i adael i orymdaith fynd heibio. Gorymdaith y Gwŷr Oren. Gwyliodd Josie hwy'n mynd heibio efo'u drymiau, y dynion yn eu siwtiau tywyll a'u hetiau caled a'u coleri oren, yn camu i guriad y gerddoriaeth, a'r faner ar y blaen yn chwyrlïo yn y gwynt. DIM ILDIO, meddai'r faner. Roedd y dynion ifainc yn bennoeth, a cherddent gyda chamau mwy penderfynol. Mwmiodd Josie'r alaw dan ei hanadl. *It was old but it was beautiful and its colours they were fine* . . . Roedd yn alaw a barai i rywun dapio'i draed â'r curiad. Os nad oeddech chi'n Babydd, wrth gwrs.

Aeth yr orymdaith heibio; gyrasant hwythau ymlaen. Gwelai Josie'r ddinas trwy lygaid newydd, a sylwodd yn awr ar y gorsafoedd heddlu gyda'u ffenestri wedi'u gorchuddio, yn union fel petaent yn geyrydd, a hithau yn y gorffennol wedi cymryd y cyfan yn ganiataol. Sylwodd hefyd ar y weiren bigog yn amgylchynu eglwys gatholig. Roeddent yn teithio trwy ardal Brotestannaidd Dwyrain Belfast.

'Mae'r lle 'ma'n llanast on'd ydi?' meddai. 'Mae 'na gymaint sy angen ei neud.'

Torrodd Rachel a Brian allan i chwerthin.

119

'Yr un hen Josie,' meddai Brian.

'Be wyt ti wedi bod yn ei neud efo chdi dy hun draw yn Lloegr?' gofynnodd Rachel. 'Dwi bron â marw isio clywed yr hanes. Mae bywyd wedi bod yn undonog o ddiflas er pan est ti.'

Cafodd Josie groeso gwresog gan eu rhieni. 'On'd ydi hi'n braf dy weld ti, hogan,' meddai Mr Magee.

'Tyd o 'na, stedda a chymra rwbath i'w fwyta,' meddai Mrs Magee. 'Mae gen i ham ac ŵy iti a bara tatws—dwi'n gwbod dy fod ti'n hoff o'r rheina.'

'Gwych,' meddai Josie. Ond gâi hi ddefnyddio'r ffôn gynta i yrru neges at ei mam?

'Dos yn dy flaen. Mae'n siŵr ei bod hi'n cnoi'i gwinadd wrth boeni wyt ti wedi cyrraedd, os ydw i'n nabod Rona. Rydw i'r un fath fy hun.'

Aeth Josie i'r lobi a chau'r drws y tu ôl iddi. Deialodd, a chyn iddi droi, atebodd Rod, fel petai wedi bod yn aros am alwad y pen arall. 'Felly rwyt ti wedi cyrraedd yn sâff!'

'Wel nid i Lebanon roeddwn i'n mynd, cofia!'

'Oedd dy ffrindiau'n aros amdanat ti?' Roedd mymryn o fin ar ei lais. Gwyddai fod Brian yn hen gariad iddi.

'Oedden. Rhaid imi fynd rŵan ne mi fydd ganddyn nhw andros o fil.'

'Ga i dy ffônio di yn ystod yr wythnos?' Gan nad oedd hi'n ateb, gofynnodd, 'Josie, wyt ti yna?'

'Rydw i yma, Rod. Ond mi fasa'n well gen i 'taet ti ddim yn ffônio os nad oes ots gen ti.'

'Nid oherwydd fod gen ti ofn iddo wbod amdana i, yn naci?'

'Naci siŵr. Mi ddweda i wrtho fo beth bynnag. Dim ond 'mod i am gael llonydd am dipyn o ddyddia.'

Felly roedd hi wedi'i mynegi'i hun yn sâl ac roedd

yntau'n flin! Roedd hi'n flinedig, meddai, ar ôl teithio trwy'r dydd, a heb gael fawr o gwsg y noson cynt. Gorffenasant y sgwrs heb ffraeo ond nid mor gyfeillgar ag y gadawsant ei gilydd y bore cynt.

'Dwn i'm wir!' meddai Josie'n uchel ar ôl rhoi'r derbynnydd yn ôl.

Roedd y Magees yn eistedd wrth y bwrdd yn aros amdani. Yn eu cwmni nhw dechreuodd adfywio, a llifodd ei blinder ymaith, ac anghofiodd am Rod hefyd, dros dro.

*   *   *   *

Y bore wedyn, aeth Josie ar y bỳs i'r fynwent yn Dundonald i weld bedd ei thad. Cynigiodd Rachel fynd efo hi ond roedd arni hi eisiau mynd ei hun. Roedd Brian wedi dweud y byddai'n mynd i'w nôl wedyn.

Yn y siop wrth giatiau'r fynwent prynodd Josie bot o flodau. Ond y tu mewn i'r siop roedd aroglau yr holl flodau bron â'i mygu, a gofynnodd i'r dyn fod yn sydyn. 'Rydw i ar frys!' Gwnaeth y persawr melys iddi gofio'r aroglau a lanwai eu tŷ nhw ar ddiwrnod angladd ei thad. Roedd torchau o flodau wedi'u pentyrru ar ei arch; roedd pawb mor hoff ohono.

Cariodd y blodau o'i blaen wrth fynd i'r fynwent. Roedden nhw'n rhai mawr euraid, yn gadarn fel ei thad. Gwasgodd hwy yn erbyn ei hwyneb fel y cerddai rhwng y rhesi o feddau, heibio'r hen gerrig beddau mawr addurnedig mewn marmor du a gwyn ac mewn gwenithfaen, gydag enwau pobl a oedd wedi marw ers talwm iawn, ac wedi mynd yn angof llwyr mae'n siŵr. Gan mai bedd diweddar oedd un ei thad, roedd ym mhen pella'r fynwent.

Tybiodd am ychydig funudau na allai ddod o hyd iddo, a bu bron iddi hurtio. Aethai ar hyd y rhes iawn yn ôl ei meddwl hi, a doedd dim golwg ohono. Rhedodd yn ôl ac ymlaen ar hyd y rhes nesaf. Doedd dim carreg ar ei fedd ef, oherwydd roedd hi'n rhy fuan i osod un, gan fod angen i'r pridd setlo gyntaf, ond roedden nhw wedi gosod postyn carreg wrth ei ben gyda'i enw arno: DAVID McCULLOUGH mewn llythrennau duon clir. Ni allai weld yr enw yn unman. Fel y rhedai, toddai'r beddau'n un rhuban hir o bownsiai'r blodau yn erbyn ei bron, a disgynnodd rhai o'r petalau ar lawr.

Paid ti â cholli arnat dy hun rŵan, Josie McCullough, meddai wrthi'i hun, gan dynnu anadl ddofn, ac arafu'i chamau.

Fe ddaeth o hyd i'r bedd yn fuan wedyn. Roedd wedi'i dacluso, ond roedd yn llwm a diflodau. Cwrcydodd i lawr, a gosod y pot blodau ar y pridd, gan ei wthio i mewn rywfaint, i wneud yn siŵr na fyddai'n cael ei chwythu gan y gwynt. Yna edrychodd ar y potyn carreg gydag enw'i thad arno mor ddu a chlir a dechreuodd ei dagrau lifo.

Gadawodd iddynt ddod. Roedd yn well crio, fe wyddai hynny; roedd wedi sylweddoli cymaint o ryddhad oedd i'w gael felly. Yn ystod yr wythnosau cyntaf ar ôl iddo farw bu'n crio bob bore ar ôl deffro; bob dydd roedd raid iddi wynebu'r ffaith ei fod yn farw o'r newydd. Weithiau, ceisiai beidio â deffro, a dal gafael ar ei breuddwydion. Unwaith, breuddwydiodd ei fod yn dal yn fyw, ac mai camgymeriad oedd y cyfan, ac yna deffrodd, yn hapus fel y gog, yn barod i redeg drwodd at ei mam i ddweud y newydd da. Ac yna, fel yr oedd yn taflu'r blancedi i ffwrdd, sylweddolodd mai breuddwydio'r oedd hi.

'Dydi o ddim yn deg,' meddai'n ffyrnig, gan lefaru'n uchel, a sychu'i dagrau a rhwbio'i hwyneb efo hances.

Dydi bywyd ddim yn deg, dyna fasa fo wedi'i ddweud; a does dim pwynt disgwyl iddo fo fod.

Biti fod raid iddo fo gyboli efo achosion dadleuol, meddai ei mam ar ôl iddo farw, neu fe allai ddal i fod yn fyw o hyd. Cyffyrddodd Josie'r petalau ar ei fedd. Fasa waeth i rywun ddweud biti na fasa fo fel Yncl Frank Oswald yn mynd i'w siop bob dydd ac yn 'cadw'i drwyn yn lân' . . . Nid Frank Oswald oedd ei thad, ond David McCullough. Ac roedd hi'n falch o hynny. 'Un cyfle gawn ni yn yr hen fyd 'ma,' meddai wrthi unwaith. 'Felly cymra fo!'

Cusanodd ei bysedd a'u gosod am funud dros ei enw, yna cododd a cherdded yn ôl tua giatiau'r fynwent.

Roedd Brian yno'n ei disgwyl. Rhoes ei fraich amdani a gwasgu'i hysgwyddau a gofyn oedd hi'n iawn. Nodiodd hithau.

'Un ddewr wyt ti. 'Run ffunud â dy dad, debyg.'

Roedd hi wrth ei bodd yn ei glywed yn dweud hyn'na! Trodd ei phen a chusanu'i foch a gwasgodd yntau hi eto.

'Be am damaid o fwyd? Mae 'na le da lawr yn Strangford.'

'O, mi fasa hynny'n hyfryd.'

Teimlai'n hapus ac ymlaciol yng nghwmni Brian. Cawsant bryd da o fwyd efo'i gilydd, yn siarad fel pwll y môr, yn cofio'r hen ddyddiau, a chwerthin hefyd, ac wedyn, pan aethant am dro ar hyd y lan yn Strangford Lough fe arhosodd ef a'i chusanu, ac ymatebodd hithau'n frwd. Roedd teulu'r Magees yn rhan annatod o'i bywyd.

'Dwi'n dal yn hoff iawn ohonot ti, Josie, oeddet ti'n gwybod hynny?'

'Dwi'n teimlo'r un fath tuag atat ti.'

Fe allent fod wedi aros ar lan y dŵr trwy'r pnawn oni bai eu bod yn gwybod fod Rachel yn aros amdanynt gartre. Roedd hi'n ddigon gwyllt yn barod, meddai Brian, am ei fod ef wedi mynd â Josie am fwyd.

'Dim ond wythnos s'gynnon ni, neno'r tad!' meddai Rachel, pan gyraeddasant yn ôl. 'Sut mae Josie a finnau'n mynd i gael amser i ddal i fyny?' Gafaelodd yn llaw Josie a'i thynnu i fyny'r grisiau ac i'w llofft. 'Rŵan mae arna i isio clŵad *popeth!*'

Eisteddasant ar wely Josie, ac fe ddywedodd Josie wrth Rachel am Emma ac Anna a'u hymgyrch yn erbyn yr orsaf niwclear.

'Ei di i'r carchar, wyt ti'n meddwl?'

'Falla, os cân' nhw ni'n euog—ac mi fyddan yn siŵr o neud.'

'Dwi'm yn synnu, o dy nabod di—'

Does neb yn fy nabod i mor dda â hynny, meddyliodd Josie, er eu bod nhw i gyd yn meddwl eu bod; ŵyr neb yn iawn sut ydw i tu mewn. Hyd yn oed Rachel, a oedd wedi'i nabod ar hyd ei hoes. Os âi i'r carchar, fe dybiai Rachel mai oherwydd ei bod yn mwynhau her y gwnâi hynny, fel petai'n perfformio mewn syrcas.

'Rachel,' meddai, 'heblaw 'mod i'n meddwl ei bod hi'n iawn imi fynd, mi garwn i gael y profiad hefyd. Mae'n siŵr dy fod ti'n meddwl 'mod i'n wirion bôst?'

'Dwi'n meddwl fod gen ti gỳts y diawl!'

'Ond dwi isio cael gwbod sut brofiad ydi o i'r holl ferched 'na gael eu rhoi dan glo. Isio gwbod drosta i'n hun.'

'Ond meddylia am gael dy gau yn dy gell am oriau bob dydd!'

'Mi allwn i ddal, dwi'n meddwl. Dwi'n teimlo'n reit gry tu mewn.' Er pwy allai ddweud sut brofiad fasa fo unwaith y byddai y tu mewn heb obaith am ddod allan am hir?

'A dweda hanes yr holl fechgyn golygus na!' meddai Rachel, gan droi'r stori, a phan sgrytiodd Josie ei hysgwyddau a hanner gwenu, meddai, 'Yr holl wir, a dim ond y gwir rŵan!'

Wel, meddai Josie, roedd 'na un bachgen o'r enw Rod, ond doedden nhw'n ddim mwy na ffrindiau da. 'O ia?' meddai Rachel. Ond doedd dim amser iddi hi i ofyn mwy o gwestiynau gan fod cloch y drws ffrynt yn canu a Brian yn gweiddi bod rhywun am eu gweld. Roedd tair o'u ffrindiau yn y lobi lawr llawr, ac ymhen deng munud, cyrhaeddodd dwy arall. 'Oes 'na rywun yn Belfast nad wyt ti ddim yn ei nabod, Josie?' fyddai ei mam yn arfer ei ofyn.

Yn ddiweddarach, aethant i barti lle'r oedd Josie'n nabod pawb, ac wedi'u nabod am y rhan fwyaf o'i hoes. Dawnsiodd efo Brian am y rhan fwyaf o'r noson. Oedd, roedd yn union fel yr hen amser, cytunodd, pan ddywedodd o hynny. Teimlai fel petai heb fod i ffwrdd o gwbl. Ymddangosai'r bywyd arall ochr draw i Fôr Iwerddon fel rhith. Roedd wedi'i weld unwaith, ond bellach roedd wedi diflannu.

'Ga i ddod drosodd i edrych amdanat ti?' gofynnodd Brian.

'Pam lai?' meddai hithau.

*   *   *   *

Aeth y dyddiau heibio'n gyflym. Gwelodd Josie bob un o'i ffrindiau, ac ymwelodd hefyd â dwy fodryb ddibriod ei thad a ddywedai y câi Josie a'i mam fyw yn eu tŷ nhw â chroeso petaen nhw'n penderfynu dychwelyd i Belfast, a bu'n gweld hen gymdogion, a chael pob math o ddanteithion ganddynt. Teimlai fel petai ei stumog yn nofio mewn te a bu'n bwyta cymaint o fara soda a bara tatws a chynifer o deisennau nes ei bod yn siŵr y byddai'n cyrraedd adre hanner stôn yn drymach. Wrth iddi gerdded heibio ei hen gartre daeth lwmp i'w gwddw a bu'n rhaid iddi frathu'i gwefus i'w rheoli'i hun, ond o leia, meddyliodd, roedd wedi torri'r garw, a byddai'n haws y tro nesa.

'Pam na ddoi di draw i dreulio'r Nadolig efo ni?' awgrymodd Mrs Magee ar y nos Wener—noson olaf Josie. 'A tyd â dy fam tro nesa. Mi faswn wrth 'y modd yn gweld Rona unwaith eto.'

'Well iti ufuddhau!' meddai Brian. 'Mae hi wedi arfer cael ei ffordd ei hun.'

'Bratha dy dafod rŵan, Brian Magee!'

'Mi faswn wrth 'y modd yn dŵad dros 'Dolig, Mrs Magee,' meddai Josie.

'Dyna ni 'di setlo hyn'na 'ta,' meddai Mr Magee. 'Mi brynwn ni'r twrci mwya yn Belfast!'

*　　　*　　　*　　　*

Aeth Brian a Rachel â Josie at y llong. Wrth iddi gusanu ffarwel teimlai ei gwddw'n tynhau'n anghyfforddus.

'Mae'n gas gen i ffarwelio,' meddai'n ffyrnig.

'Buan iawn y daw'r Nadolig,' meddai Brian. 'Dim ond dau fis arall.'

'Cofia sgwennu!' gwaeddodd Rachel ar ei hôl wrth iddi ddringo'r fynedfa i'r llong.

Chwifiodd Josie ar ei ffrindiau am ryw ddeng munud ar ôl i'w llong ddechrau hwylio, yna trodd ei chefn arnynt hwy ac ar Belfast, a mynd i ochr arall y llong a phlygu dros yr ochr. Wrth i'r llong gyflymu allan o'r Lough aeth dros ei hymweliad yn ei meddwl gan ail-fyw'r cyfan yn ei phen, a meddyliodd hefyd am Brian, a oedd wedi gwneud iddi deimlo mor gartrefol yn ei gwmni, ac nad oedd byth yn ffraeo efo hi. Pan fyddai hi'n 'colli'i limpin', fel y dywedai ef, wnâi o ddim byd ond chwerthin. Weithiau byddai hynny'n gwneud iddi wylltio'n waeth, ond roedd yn dda am ei phryfocio a'i chael i chwerthin am ben ei ffolineb ei hun. Doedden nhw 'rioed wedi cael y ffraeo tymhestlog a ddigwyddai rhyngddi hi a Rod. Na'r un cyffro wrth gyfarfod a chyffwrdd chwaith. Pan afaelai Rod yn ei llaw teimlai fel petai ffrwd o drydan yn llifo o'r naill i'r llall.

Unwaith roedden nhw ym Môr Iwerddon ac yn anelu am arfordir Lloegr sylweddolodd ei bod yn meddwl mwy a mwy am Rod, ac am ei mam ac Anna ac Emma. Teimlai fel petai'n hongian rhwng dwy wlad, rhwng dau grŵp o bobl.

Yn y bore, wrth ddeffro ar ôl cysgu'n anwadal ar gadair yn y lolfa, roedd un peth yn glir iawn yn ei meddwl. Sef ei bod yn ddydd Sul, ac y byddai'n ddydd Llun fory. Fory fe fyddent yn gorfod mynd i'r llys.

PENNOD 15

Cododd Josie a'i mam ymhell cyn toriad gwawr. Pan agorodd ddrws y garafán a rhoi'i phen allan i arogli'r bore, gallai Josie weld llinell binc denau yn awyr y dwyrain yn addewid am ddiwrnod braf arall. Byddai'n colli gweld yr awyr ac aroglau'r môr.

Daeth golau ymlaen yn y garafán drws nesa. Rhedodd yno a rhoi cnoc ysgafn ar y drws a gadawodd Anna iddi fynd i mewn.

'Sut wyt ti?'

'Iawn. A chditha?'

'Eitha.'

Buont yn ddistaw am dipyn. Roedden nhw wedi bod yn trafod cymaint ar eu hamheuon a'u hofnau fel nad oedd fawr ddim ar ôl i'w ddweud. Gwisgodd Anna ac aethant efo'i gilydd i gael brecwast efo Mrs McCullough.

'Bytwch lond ych bolia rŵan,' mynnodd hi. 'Does wybod—'

'Lle cawn ni'n pryd nesa,' gorffennodd Josie. 'Codwch ych calon, Mam, mi ddo' i drwyddi'n iawn. Fydda i ddim i mewn am fwy nag wythnos, gewch chi weld.' Roedd hi wedi dweud wrth ei mam neithiwr ei bod wedi penderfynu peidio â thalu'r ddirwy, ac fe ddywedodd ei mam mai mater iddi hi oedd o, ac y dylai wneud yr hyn roedd hi'n feddwl oedd yn iawn.

Fe ddywedodd Josie wrth Rod, hefyd, ac roedden nhw wedi ffraeo. 'Dwi'n meddwl dy fod ti'n hollol hurt,' meddai'n ddi-flewyn-ar-dafod. 'Ond mi fasa gen ti ofn rhoi troed o chwith yn unman!' ergydiodd hithau'n ôl. Roedd y ddau'n wynebu'i gilydd ar y traeth, yn gweiddi uwchben rhuo'r tonnau. 'Isio bod yn ferthyr s'arnat ti.'

'Sut meiddi di ddeud hyn'na? Sut *meiddi* di?' 'Pa dda wyt ti'n meddwl ddaw o'r peth? Dim ond chwarae mynd i'r jêl ydi peth fel hyn. Fyddi di ddim *fel* y carcharorion eraill wedi'r cwbl.' 'Dim ond gêm ydi'r cyfan cyn belled ag yr wyt ti'n y cwestiwn, yntê Rod? Dwyt ti ddim hyd yn oed yn cymryd y peth o ddifri.' 'Wrth gwrs 'mod i'n ei gymryd o o ddifri. O'm rhan i, mi fasa'n well gen i *beidio* â byw drws nesa i orsaf niwclear petai 'na ddewis.' 'Ac mi fasa? Am dy fod ti'n meddwl y *galla* damwain ddigwydd? Felly rwyt ti'n cyfadda hynny! Ond ddwedi di mo hynny'n gyhoeddus yn na wnei? Wnei di ddim wynebu dy Dadi a deud hynny wrtho fo.' Ar hynny fe drodd Rod ar ei sawdl a brasgamu i ffwrdd gan gicio'r tywod wrth fynd. Fe drodd hithau hefyd, a mynd adre, gan ddweud wrth y gwylanod fel y dringai dros y creigiau, 'I'r diawl â chdi, Rod Lawson!'

'Felly dwyt ti a Rod ddim ar delera da?' meddai Anna wrth iddyn nhw yfed eu te.

'Fedra i ddim tynnu 'mlaen efo pobl fel fo. Pobl sy'n gwrthod dangos ochr.'

'Falla dy fod ti'n disgwyl gormod oddi wrth bobl, Josie,' meddai ei mam.

Fe allai hynny fod, cyfaddefodd Josie, ond dyna sut roedd hi wedi cael ei gwneud.

'Ac yn disgwyl gormod gen ti dy hun hefyd, cofia.'

Glanhaodd Josie ei dannedd a rhoi'r brws a'r pâst yn ei bag canfas efo'r pethau eraill roedd hi wedi'u pacio, dillad isa i newid, dwy flows, llyfr nodiadau a beiro a chwe llyfr. Caent fynd â chwe llyfr efo nhw i'r carchar, yn ôl cyfreithiwr a oedd yn mynd i'w cynrychioli. Roedd Emma wedi rhoi *Emma* Jane Austen iddi, ac fe gafodd gyfrol o gerddi gan y bardd Albanaidd Norman McCaig gan Rod, ac fe ychwanegodd hithau lyfr o farddoniaeth y bardd Gwyddelig Seamus Heaney, nofel gan Doris Lessing a *Women in Love* D H Lawrence. Pan gyrhaeddodd Mrs Hunter ac Emma i'w gyrru i'r dre sirol ryw ugain milltir i ffwrdd, roedd hi'n barod i gychwyn.

Aethant i'r car. Roedd hi'n fore hyfryd o aeaf, yn rhewllyd a chlir, efo pelydrau'r haul yn goleuo'r wlad â'u melyn golau. Y math o fore i fwynhau mynd am dro hir ar hyd y tywod. Dyfalodd Josie beth fyddai Rod yn ei wneud.

    *   *   *   *

Cerdded ar y traeth yr oedd ef, ac roedd wedi bod yno er pan gododd yr haul a chwistrellu llinellau o liw—lemwn, gwyrdd golau a phinc gwan—ar draws inc yr wybren. Roedd y tywod yn llyfn, a'r tonnau'n llempian yn dyner ar ei ymylon. Chwyrlïai'r gwylanod a sgrechian yn uchel. Teimlai mai ef oedd yr unig fod dynol a oedd yn effro ar wyneb y ddaear.

Faint o weithiau y bu'n cerdded y traeth hwn efo Josie? Ar ddyddiau gwyllt a gwyntog, ac ar ddyddiau tawel fel bore heddiw, dan haul crasboeth canol dydd ac ynghanol fagddu'r nos. Gwenodd wrth gofio'r tro hwnnw y buont yn ymdrochi'n noethlymun ac yn methu dod o hyd i'w dillad.

Fe ddaeth y syniad i'w ben y byddai hi'n dod i gerdded ar y traeth y bore 'ma, cyn mynd i'r llys ac i'r carchar, oherwydd fe wyddai yr âi yn sicr, gan na fyddai'n colli'i phlwc ac yn newid ei meddwl ar y funud olaf. Roedd hi ar dân dros y pethau roedd hi'n credu'n wirioneddol ynddynt ac roedd ganddi awydd anniwall i weld a phrofi pethau drosti'i hun. Roedd yn deall hynny, er nad oedd hi'n barod i'w gredu o gwbl. Doedd hi ddim yn ei nabod go-iawn. Tybiai mai rhyw greadur gofalus, diantur oedd o, yn anfodlon sefyll dros ei argyhoeddiadau. Gyda'r argyhoeddiadau mawr, fe safai o cystal â neb. Ond roedd raid iddo wneud hynny yn ei amser da'i hun. Ond roedd yn edmygu'i phenderfyniad, ac roedd ei ffyrnigrwydd a'i byrbwylltra'n ei gynhesu fel fflam.

Ddôi hi ddim bellach; byddai'n amser iddi gychwyn. Ac os na frysiai, fe gollai ei gweld. Rhedodd tua'r creigiau yn gyflym a chrafangio trostynt tua'r maes carafanau, gan grafu'i law ar ambell garreg finiog, ond heb falio dim. Aeth yn syth am garafán Josie.

Cnociodd y drws yn galed a'i ysgwyd. 'Josie!' gwaeddodd. Ond roedd y drws wedi'i gloi a hithau wedi mynd. Y ffŵl! Rhegodd ei hun. Pam na fasa fo wedi dod ynghynt? Pam yr arhosodd nes ei bod yn rhy hwyr? Sbeciodd trwy'r ffenestri i wneud yn siŵr nad oedd neb yno a gwelodd y dillad gwlâu wedi'u troi'n daclus a'r llestri wedi'u golchi ar y rhesel a'r lliain sychu llestri wedi'i daenu dros y cownter.

'Mi aethon nhw i ffwrdd mewn car mawr ryw chydig funudau'n ôl,' meddai hen ŵr yn y garafán ddau ddrws i ffwrdd. Roedd ei gefn yn grwm nes ei fod yn sefyll yn ei blyg fel cyllell boced ar hanner ei chau. Fe ddywedodd Josie mai perfformio ar trapîs oedd ei waith ers talwm.

Teimlai Rod fel petai'i gefn yntau'n grwm hefyd. Eisteddodd ar ris y garafán.

'Rwyt ti'n ffrind iddi?'

Nodiodd Rod.

'Mae hi'n mynd i'r carchar, yn ôl ei mam, ynglŷn â'r hen orsaf niwclear wirion 'na. Da iawn hi! ddweda i. Mae angen mwy o rai fel hi efo tipyn o asgwrn cefn. I ddangos i'r llywodraeth na fedran nhw ddim sathru arnon ni fel'na. Mae'n rhaid gwneud rhwbath ne chymran nhw ddim sylw. Dwyt ti ddim yn un ohonyn nhw 'ta?'

'Na,' meddai Rod, dydw i ddim yn un ohonyn nhw.' Teimlai fel gwrthwynebwr cydwybodol a oedd wedi aros gartre tra oedd y lleill wedi mynd i'r rhyfel. Roedd yn beth digon anrhydeddus gwrthwynebu rhyfel, meddai Josie pan oedden nhw'n trafod y pwnc; ond roedd yr holl fusnes yn anodd, a heb fod yn fater o ddu a gwyn. Doedd fawr ddim yn edrych yn ddu a gwyn ar hyn o bryd.

Edrychodd ar ei wats. Roedd hi'n chwarter i naw. Fe fyddai'n hwyr ar gyfer ei wers gyntaf, ond prin roedd hynny o bwys bellach.

Cyfarfu Mr Greig yng nghyntedd yr ysgol.

'A, Rod, felly rwyt ti yma heddiw? Mae hanner y chweched yn absennol. Dydi'r Prif ddim yn hapus o gwbl! Wyt ti wedi gweld Josie? Wyddost ti ble mae hi?'

'Na, dydw i ddim wedi'i gweld hi.'

'Dwi'n siŵr y bydd hi'n iawn. Faswn i ddim yn poeni.'

Allai Rod ddim canolbwyntio ar ei fathemateg. Edrychai allan trwy'r ffenest, fel petai hynny'n mynd i'w alluogi i weld y tu mewn i'r llys, a phan siaradai rhywun ag ef, rhoddai naid.

'Teimlo'n iawn heddiw, Rod?' gofynnodd yr athrawes. Crychodd ei thalcen wrth weld ei law. 'Rwyt ti wedi brifo dy law? Mae 'na waed arni.'

'O, dydi o'n ddim byd,' meddai Rod.

Aeth adre ar ei feic amser cinio. Roedd ei fam allan; dyma'i diwrnod hi i wneud gwaith gwirfoddol yn yr ysbyty lleol. Cymerodd arian o'r drôr uchaf yn y cwpwrdd yn ei lofft a rhedeg am orsaf y bysiau.

Araf y treiglai amser i'r ugain a oedd yn aros yr achos. Eisteddent yn y stafell ochr yn sgwrsio'n ddistaw, gan gracio ambell jôc wrth aros i gael eu galw. Cafodd y rhai lwcus eu galw'n gynnar.

Gwyddent ymlaen llaw mai bob yn un y caent eu galw ac y byddai'n cymryd amser i'r llys ddelio â nhw i gyd. Dywedodd y cyfreithiwr (ac fe gaent gymorth cyfreithiol i'w helpu i dalu am ei wasanaeth) fod pawb wedi gorfod dod yr un pryd gan eu bod wedi disgwyl iddynt bledio'n euog. Fyddai dim angen tystion. Fe fyddai'r ynad yn cyhoeddi'r ddirwy ac yn disgwyl i'r amddiffynnydd nesaf gael ei ddwyn i mewn. Cyfiawnder y *conveyor belt*, meddai'r cyfreithiwr. Ond os plediai rhywun yn euog, yna câi ei yrru'n ôl i aros tan yn nes ymlaen—ar ôl cinio, fwy na thebyg.

Plediodd dau ar bymtheg yn euog, ac fe ddeliwyd â'u hachosion nhw'n sydyn. Plediodd y tri arall yn ddieuog—Jack, Phil a Josie. Dim ond os plediai rhywun yn ddieuog y câi hawl i siarad yn y llys.

'Mae'n rhaid inni siarad,' meddai Josie. 'I ddeud pam y gwnaethon ni o.'

'Wneith o ddim gwahaniaeth,' meddai'r cyfreithiwr, 'ddim cyn belled ag y mae'r ynad yn y cwestiwn, beth bynnag. Ac mae hwn yn un caled, well imi'ch rhybuddio chi. Mi ellid yn hawdd fod isio gwneud esiampl ohonoch chi, er mwyn rhwystro rhai eraill rhag eich dilyn chi. Dydi'r planeda ddim o'ch plaid chi, dwi'n ofni.'

'Sdim help am hynny. Ond os cawn ni ddeud ein deud o leia mi gawn sylw'n y papura.'

'Ac rydach chi'n sylweddoli y byddwch yn debyg o gael carchar os na thalwch chi'r ddirwy, on'd ydach Josie? Gan ichi droseddu unwaith o'r blaen.'

Nodiodd hithau. 'Gwn, mi wn i hynny.'

*   *   *   *

'Josephine Rona McCullough!'

Cododd Josie a dilyn ei thywysydd ar hyd y cyntedd. Hi oedd yr ail ar bymtheg i gael ei galw.

Caeodd ei hamrannau wrth wynebu golau llachar y llys a gweld y rheseidiau o wynebau. Roedd y seddau cyhoeddus yn orlawn o berthnasau a ffrindiau. Gwelodd ei mam a Mrs Hunter ac Emma—gwenodd y rheini'n gefnogol arni—ac yna edrychodd i'r chwith a gweld yr ynad ar ei fainc yn ei gwylio.

Safodd i gymryd ei llw, a gorchmynnodd clerc y llys hi i godi'i llaw dde ac ailadrodd ar ei ôl ef. 'Addawaf ddweud y gwir, yr holl wir . . .'

'"Yr holl wir",' ailadroddodd Josie mewn llais cadarn, clir, '"a dim ond y gwir".' Gostyngodd ei llaw. Teimlai'n dawel yn allanol, er bod ei chalon fel gordd y tu mewn iddi. Roedd ei dwylo'n chwyslyd. Sychodd nhw yn ei sgert. Edrychai'n barchus o daclus—roedd ei mam wedi gofalu am hynny—yn sgert las dywyll ei mam a blows wen a'i gwallt wedi'i glymu'n ôl efo rhuban glas.

Dechreuodd gael ei holi gan yr erlyniad.

'Ai chi yw Josephine Rona McCullough?'

'Ia.'

'Ydych chi'n ddwy ar bymtheg oed?'

'Ydw.'

Gofynnodd am ei chyfeiriad ac yna darllenwyd y cyhuddiad: ei bod hi, Josephine Rona McCullough, ar y—o Fedi wedi gorwedd yn y ffordd y tu allan i'r orsaf niwclear a rhwystro tramwyaeth trwy'r fynedfa, a phan ofynnwyd iddi symud, ei bod wedi gwrthod.

'Sut ydych chi'n pledio—euog neu ddieuog?'

'Dieuog.'

Aeth ton fechan o anesmwythyd trwy'r llys, dim mwy nag a wneid gan don fach yn taro'n erbyn y traeth ac yn cilio'n ôl.

'Gohirio'r llys. Galwch y diffynnydd nesaf.'

Dyna'r cwbl. Go brin fod y cyfan wedi para mwy na munud. Teimlai fel petai wedi'i thwyllo. Ond fe ddôi ei chyfle hi eto, atgoffodd ei hun. Camodd i lawr ac arwein-iwyd hi allan o'r llys yn ôl i'r stafell aros. Yn y cyntedd ar ei ffordd yn ôl aeth Phil heibio iddi. Cyffyrddasant ddwylo am eiliad. 'Pob lwc,' meddai Josie.

Ychydig funudau'n ddiweddarach, dychwelodd Phil ac yna galwyd Jack. Pan ddaeth ef yn ôl dywedodd wrthynt fod yna doriad dros ginio ac y caen nhw fod yn rhydd tan ddau o'r gloch. *Rhydd?* Am y tro ola am rai dyddiau, o bosib, ac o gofio hynny, teimlent yn benysgafn.

Chwarddent wrth frysio ar hyd y cyntedd, Josie rhwng Jack a Phil, a hwythau â'u breichiau am ei hysgwyddau. Roedd eu cefnogwyr allan yn disgwyl ar y palmant. Bu clapio dwylo brwd nes peri i Mrs McCullough edrych yn boenus braidd.

'Dydi o ddim yn syniad da i ymddangos yn *rhy* hwyliog,' meddai tad Jack.

Aethant i dŷ bwyta Eidalaidd yn ymyl gan lenwi'r lle, a chymerodd Josie *pizza* anferth efo pob math o bethau ar ei phen. Bu siarad mawr a llawer o dynnu coes am goginio carchar. Roedd Emma'n dawel.

'Be sy, Em?' gofynnodd Josie.

'Dwi'n poeni amdanat ti. Beth petai'r gwragedd eraill yn dy gam-drin di? Ac mae'n debyg bod y gofalwyr yn casáu carcharorion gwleidyddol; ac yn mynd allan o'u ffordd i neud eu bywyd nhw'n annifyr.'

'Mi fydda i'n iawn.'

'Rydan ni'n mynd i wersylla tu allan i'r carchar dros y Sul.'

'Mi fyddwch yn rhewi i farwolaeth. Mis Tachwedd ydi hi.'

'Na, wnawn ni ddim,' meddai Anna. 'Fe ddaru nhw hynny i gefnogi merched Greenham pan aethon nhw i garchar. Mae gynnon ni fagia cysgu trwchus a digon o blancedi, ac mi rown ni gynfas bolythen ar y llawr a droston ni.'

Roedd yn swnio'n dipyn o hwyl, meddyliai Josie, ac roedd yn pitïo na châi hi fod allan efo nhw.

Gwnaeth y plisman a oedd yn gwylio drws y llys arwydd ar Rod i ddod i mewn yn dawel bach, gan bwyntio at sedd wag. Gollyngodd Rod ei hun i'r sedd a chymryd eiliad i gael ei wynt ato. Roedd ei grys yn glynu wrth groen ei gefn. Roedd wedi rhedeg yr holl ffordd o'r orsaf fysiau.

Josie oedd yn y doc. Yn y doc! Llyncodd Rod ei boer. Teimlai'n sâl wrth ei gweld yn eistedd yn fan'na mor llonydd a syth. Y Sarjiant oedd yn cael ei holi fel tyst—yr un oedd yn gas gan Josie. Câi ei holi gan yr erlyniad.

'Rydach chi'n dweud fod y ferch a wnaeth yr araith ymysg y rhai a orweddodd i lawr o flaen y giatiau?'

'Mae hynny'n gywir, syr.'

'Ydych chi'n ei gweld yn y llys?'

'Ydw.'

'Wnewch chi ddangos i ni ble mae hi?'

Edrychodd y Sarjiant o gwmpas y llys, gan adael i'w

lygaid lithro dros yr wynebau yn yr oriel gyhoeddus cyn dod yn ôl at Josie. Pwyntiodd ei fys ati. 'Dyna hi yn fan'na, syr.' Câi bleser wrth ddweud hynny, meddyliodd Rod. Swniai'n fuddugoliaethus.

Roedd y cwnstabl a'i dilynodd yn fwy prennaidd a mecanyddol ac ni ddangosai emosiwn o unrhyw fath. Pwyntiodd yntau at Josie hefyd.

Daeth yn amser i'r amddiffyniad gyflwyno'r achos. Cododd y cyfreithiwr gan roi gwên o gefnogaeth i Josie.

'Rwy'n dymuno galw'r amddiffynnydd,' meddai.

Aeth Josie ymlaen gan gadw'i phen yn uchel a'i chefn yn syth. Symudodd Rod ei ben fel y gallai gael golwg glir arni. Ymddangosai'n hollol hunanfeddiannol, ac edrychai mor dlws, efo chydig o wrid ar ei hwyneb a'i llygaid yn disgleirio. Gwyddai y byddent yn disgleirio er nad oedd yn ddigon agos i weld hynny drosto'i hun.

Dywedodd y cyfreithiwr, 'Fe glywsoch y ddau dyst blaenorol yn dweud eich bod yn un o'r bobl a oedd yn gorwedd ar y ffordd. Ydych chi'n gwadu eich bod yno?'

'Nac ydw.'

'Allwch chi egluro pam, os ydych chi'n cyfaddef ichi achosi rhwystr ar y ffordd, pam nad ydych wedi pledio'n euog?'

Trodd Josie fel ei bod yn hanner wynebu'r llys. Dyma'r foment y mae hi wedi bod yn disgwyl amdani, meddyliodd Rod. Plygodd ymlaen yn ei sedd.

'Mi blediais yn ddieuog am 'y mod i'n credu nad ydw i wedi cyflawni trosedd yn erbyn cymdeithas. Mi orweddais ar y ffordd fel arwydd i ddangos 'mod i'n gwrthwynebu'r orsaf niwclear. Rwy'n credu y bydd y bwrdd trydan yn cyflawni trosedd lawer mwy difrifol yn erbyn cymdeithas os aiff ymlaen â'i gynlluniau. Gallai beri y byddai'n rhaid inni wynebu damwain fel yr un a ddigwyddodd yn Chernobyl.'

Roedd yr ynad yn anesmwytho; rhwbiodd ei drwyn, cliriodd ei wddw, a gwasgodd ei wefusau. Daliodd Josie ati, gan siarad ychydig yn gyflymach, 'Mae 'na filoedd o bobl yn erbyn yr orsaf 'ma. Rydym yn ei hystyried yn ddi-anghenraid ac mae arnom ni ofn y canlyniadau pan fydd hi'n dechrau gweithio. Rwy'n credu, mewn democrat-iaeth, y dylid ystyried barn y bobl. Mae arnom ni eisiau ymchwiliad cyhoeddus arall. Rydym ni'n haeddu un. Mae pethau wedi newid; mae pobl wedi newid eu meddyliau—ar ôl Chernobyl!'

Clapiodd rhai o'r bobl yn yr oriel gyhoeddus eu dwylo, a gwaeddodd clerc y llys, 'Tawelwch yn y llys!' ac edrychai'r ynad yn flin.

'Diolch, Miss McCullough,' meddai'r cyfreithiwr dros yr amddiffyniad, ac ildio'i le i'r erlynydd a oedd ar ei draed i groesholi'r tyst.

'Rydych chi'n amlwg yn ferch ifanc ddeallus sy'n gallu siarad a sgrifennu'n rhwydd,' dechreuodd. Siaradai'n llyfn. Gwenodd. Edrychai Josie ar ei gwyliadwriaeth. 'Mae'n siŵr eich bod yn ymwybodol fod yna ddulliau o fynegi'ch barn ar wahân i orwedd ar y ffordd ac achosi rhwystr?'

'Wel ydw, ond—'

'Oeddech chi'n sylweddoli ar y pryd eich bod yn torri'r gyfraith wrth orwedd ar y ffordd!'

'Oeddwn.'

'Dyna'r cyfan, diolch.'

Gorchmynnwyd Josie i fynd o'r doc ac fe'i har-weiniwyd oddi yno.

Cafodd y cyfreithiwr dros yr amddiffyniad gyfle i

grynhoi, gan ddweud: 'Fe weithredodd fy nghleient oherwydd pryder diffuant ac nid gyda'r bwriad o greu trafferth. Mae hi'n ferch ifanc o ddelfrydau uchel sy'n credu'n ddiffuant fod pŵer niwclear yn fygythiad real i ddyfodol y ddynoliaeth ac rwy'n gofyn ichi edrych ar ei gweithred yn y goleuni hwnnw. Diolch yn fawr.'

Plethodd yr ynad ei ddwylo ynghyd ar y ddesg o'i flaen a phlygodd i siarad: 'Rydych chi'n siarad yn huawdl iawn, Miss McCullough, llongyfarchiadau ichi!' Moesymgrymodd ychydig. 'Ac rwy'n cytuno â chi y dylid ystyried dymuniadau'r bobl, ond fel y dangosodd fy nghyfaill dysgedig, y cwnsler dros yr erlyniad, mae yna ffyrdd eraill o fynegi barn heb orwedd ar y ffordd a thorri'r gyfraith ac achosi llawer iawn o drafferth i'r heddlu sy'n ddigon prysur fel y mae hi. Petai pawb ohonom ni'n gorwedd ar y ffordd i fynegi'n barn ar hyn a'r llall byddai'n amhosib i'r drafnidiaeth symud o gwbl!' Arhosodd am eiliad. Os oedd yn disgwyl cael chwerthiniad bach gwerthfawrogol o'r oriel gyhoeddus, fe gafodd ail. 'Erys y ffaith eich bod wedi torri'r gyfraith, ac felly does gen i ddim dewis ond eich cael yn euog.' Trodd at y Sarjiant. 'Oes gennych chi ryw wybodaeth am y diffynnydd'?

'Mae hi wedi'i chael yn euog unwaith o'r blaen, am yr un drosedd.'

Gofynnodd yr ynad, 'Hoffai'r amddiffyniad ddweud rhywbeth am y diffynnydd?'

'Mae hi'n ferch ifanc heb ddim adnoddau ariannol. Mae hi'n dal yn yr ysgol.'

'Os felly rwy'n ei dirwyo i hanner canpunt neu bythefnos o garchar.'

Gorweddai Josie ar y gwely yng nghell y llys, yn aros.
Aros i rywbeth ddigwydd. Fe fyddai llawer o aros o'i
blaen, mae'n siŵr, a llawer o waith difyrru'r amser.
Dygwyd ei holl eiddo oddi arni, gan gynnwys ei llyfrau.
Pam na fuasen nhw wedi gadael iddi gadw'r rheini? Pa
ddrwg fuasai darllen nofel gan Alice Walker neu gerdd
gan Seamus Heaney? Beth oedd pwynt mynd â phopeth
personol oddi arnoch? Oedden nhw'n meddwl y byddai
gorwedd ar fatres noeth yn syllu ar y nenfwd yn gwneud
i rywun edifarhau, a throi at y llwybr cul?

Yn sydyn clywodd sŵn allweddi'n cloncian yn y clo a
gwelodd y drws yn agor. Daeth heddferch i mewn.
'Maen nhw'n rhoi caniatâd i chi weld eich mam. Felly
gwisgwch eich sgidiau a dowch efo fi.'

Roedd sgidiau Josie allan yn y cyntedd, wedi'u gosod
yn daclus ochr yn ochr yn union fel y gorchmynnwyd
iddi'u gosod. Llithrodd ei thraed iddynt a dilynodd yr
heddferch ar hyd y cyntedd i'r stafell aros. Roedd ei mam
yno'n barod, yn eistedd ar ymyl ei chadair. Neidiodd ar
ei thraed pan welodd Josie.

'Mam!' Aeth Josie'n syth i freichiau'i mam.

'Wyt ti'n iawn, 'nghariad i?'

'Dwi'n ardderchog. Wir rŵan.'

'Mi siaradaist ti'n dda. Roeddwn i'n ymfalchïo ynot ti.'

'Diolch! Be am Jack a Phil?'

'Fe gawson nhw bythefnos o wasanaeth cymuned.
Maen nhw'n anfon eu cyfarchion—a'r lleill wrth gwrs,
Emma, Anna, a phawb arall—a Rod.'

'Do, mi welais i o yno,' meddai Josie. Pan oedd yn
rhoi'i thystiolaeth roedd yn ymwybodol trwy'r amser o'i

lygaid ef arni. Mae o wedi dod! meddai wrthi'i hun. 'Cofiwch fi atyn nhw i gyd. Gan gynnwys Rod.'

'Amser ar ben, rwy'n ofni,' meddai'r heddferch, a oedd wedi aros wrth y drws.

'Cofiwch sgwennu.'

'Wrth gwrs y gwna i, Josie 'nghariad i. Bob dydd.'

'Ac mi wna inna—os gadawan nhw imi.'

Cofleidiodd y ddwy a chusanu ac yna aeth Josie efo'r heddferch. Edrychodd hi ddim yn ôl.

Aethant ymlaen i stafell arall lle'r oedd cwnstabl yn eistedd y tu ôl i ddesg. Cododd fag Josie ac aethant trwy'r cynnwys efo'i gilydd, a Josie'n gorfod dweud beth oedd pob dim.

'Ydi popeth yna?'

'Ydi,' meddai hithau, gan osod ei wats ar ei harddwrn a gweld ei bod yn bedwar o'r gloch. Rhyfedd mor gysurlon oedd rhoi'ch wats yn ôl a gwybod faint o'r gloch oedd hi.

'Wnewch chi lofnodi yn fan hyn 'ta?' Pwyntiodd at linell ar y ddalen o bapur ac ysgrifennodd hithau'i henw.

'Gwisgwch eich côt rŵan,' meddai'r heddferch, 'a dowch ffordd hyn.'

Unwaith eto dilynodd Josie'r heddferch ar hyd y cyntedd. Daliai'r wraig ei hysgwyddau a'i phen yn hollol syth ac anesmwyth. Roedd yn amlwg na chredai mewn yngan yr un gair wâst. Ysai Josie am siarad efo rhywun, siarad o ddifri. Trafod yr hyn ddigwyddodd. Yr hyn allai ddigwydd. Byddai'n braf cael Anna yno, ac yna fe allen gracio jôcs a chwerthin tipyn. 'Ydi'r gadwyn am dy ffêr di? Paid â gneud gormod o dwrw efo hi da chdi!' Teimlai ei bod wedi'i chau mewn bocs efo gwlân o ddistawrwydd o'i chwmpas. Ac roedd ei gwddw mor sych nes ei fod yn brifo. Nerfau, mae'n siŵr. Ac *roedd* hi'n nerfus.

Roedd cwnstabl a heddferch yn aros wrth ben arall y cyntedd. Cafodd Josie ei throsglwyddo i'w gofal nhw. Fel parsel, meddyliodd. Aed â hi allan trwy ddrws i olau dydd. Roedden nhw mewn iard yng nghefn y llys ac roedd car yn aros.

*   *   *   *

Safai Mrs McCullough ar risiau'r llys wedi'i hamgylchynu gan ffrindiau Josie.

'Roedd hi'n edrych yn iawn,' meddai wrthynt. 'Yn reit hunanfeddiannol.'

'Mae Josie fel y dur,' meddai Anna.

Ddywedodd Mrs McCullough ddim gan y gwyddai fod 'na feddalwch dan bob dur. Teimlai'n weddol ffyddiog ar ôl gweld Josie ond gwyddai na allai deimlo'n hollol dawel nes bod Josie'n rhydd unwaith eto. Wrth feddwl amdani *dan glo* roedd raid iddi lyncu'n ddwfn i'w rhwystro'i hun rhag cyfogi.

'Dowch rŵan, Rona, mae'n amser i chi fynd adre,' meddai Mrs Hunter gan gymryd ei braich. 'Rydach chitha wedi cael diwrnod caled hefyd. Mi awn ni'n ôl i'n tŷ ni a chael pryd iawn o fwyd, a photelaid o win hefyd falla i godi'n calonna!'

'Mi fasa hynny'n hyfryd.'

Cymerodd Emma fraich arall Mrs McCullough a cherddodd y tair, ynghyd ag Anna, i'r maes parcio. Rhoddodd Mrs McCullough gip dros ei hysgwydd a gweld Rod yn dod y tu ôl, ar ei ben ei hun.

'Oes 'na le i Rod, tybed?' gofynnodd.

'Wrth gwrs,' meddai Mrs Hunter. Arosasant a phan oedd Rod o fewn clyw gwaeddodd, 'Hoffet ti bàs, Rod?' Petrusodd ef, ac meddai hi, 'Mae gynnon ni ddigon o le. Dim pwynt mynd ar y bỳs.'

'O, olreit 'ta,' meddai. 'Diolch yn fawr iawn.'

Bu'n dawel yn ystod y siwrnai, yn siarad dim ond pan ddywedai rhywun rywbeth wrtho. Eisteddodd y tu ôl wrth y ffenest gan edrych allan. Aeth i lawr ynghanol y dre yn ôl ei ddymuniad. Roedd yn well ganddo gerdded gweddill y ffordd adre, meddai. Gwyliasant ef yn ei throi hi tua'r môr.

'Mae'n anodd arno fo,' meddai Mrs McCullough. 'Gan ei fod o ar y tu allan fel petai.'

'Mae arna i ofn hefyd ei fod o wedi cymryd ato'n arw ynglŷn â Josie,' meddai Mrs Hunter.

'Maen nhw'n glòs iawn, wrth gwrs,' meddai Emma.

*   *   *   *

Rhoddwyd Josie dan ofal un o'r warderiaid yn y Dderbynfa.

'Dyma Josephine McCullough,' meddai'r heddferch.

Roedden nhw'n ei disgwyl. Aeth y plismyn oddi yno, ac wrth eu gweld yn mynd teimlai Josie fod y ddolen ola rhyngddi hi a'r byd tu allan wedi'i thorri. Ar y daith roedd yr heddferch wedi bod yn reit siaradus. 'Mi fydd 'na lawer o ferched go anhydrin yno, gyda llaw!' meddai. 'Gobeithio'ch bod chi'n sylweddoli be 'dach chi'n neud.'

Gwyliodd Josie y warder, er nad yn rhy amlwg. Gobeithiai gadw iddi'i hun gymaint ag y gallai. Roedd Anna wedi dweud na fyddai hynny'n hawdd iddi hi, ond wyneb yn wyneb â'r wraig hon a oedd yn cymryd ei bag oddi arni ac yn archwilio'i phethau unwaith *eto*—teimlai y byddai'n hawdd iawn. Yn wir byddai'n anodd iawn teimlo *ar frig* y byd. Teimlai fel crempog, a rhyw anesmwythyd ym mhwll ei stumog.

Bu'n rhaid iddi gadarnhau'r holl eitemau a ddaeth o'i bag, a llofnodi, a chafodd fynd â phopeth yn ôl ar wahân i'r llyfr nodiadau a'r beiro.

'Mi allwch wneud cais am ddefnyddiau sgrifennu bob dydd Llun.'

Agorodd Josie ei cheg yn barod i brotestio, ac yna caeodd hi. Dydd Llun ydi hi heddiw oedd yr hyn y bwriadai'i ddweud, ac erbyn dydd Llun nesaf fyddai fawr o bwrpas mewn gwneud cais am ddim, gan y byddai'n debyg o gael ei rhyddhau ganol yr ail wythnos petai'n ymddwyn yn iawn.

Cymerodd y warder gipolwg ar y llyfrau cyn eu hestyn iddi. Edrychodd ar y teitlau heb ddangos unrhyw ddiddordeb. Yr oedd yn wraig solet efo breichiau cryfion. Gwisgai grys gwyn efo llewys cwta, a sgert las tywyll; hongiai chwisl a bwnsiad o allweddi wrth ei chanol.

'Ffordd hyn!'

Dilynodd Josie'r wraig allan trwy'r drws ac ar hyd y cyntedd. Cyntedd ar ôl cyntedd yn llawn drysau dienw. I gyd yn rhan o dirlun y byd rhyfedd hwn. Aethpwyd â Josie trwy un o'r drysau i mewn i stafell lle'r oedd warder arall yn eistedd.

'Ewch i'r caban yna,' meddai gan estyn gŵn, 'tynnwch oddi amdanoch a gwisgwch hon. A phan fyddwch wedi dadwisgo, gwthiwch eich dillad allan.'

Gwnaeth Josie yn ôl y gorchymyn. Er gwaetha gwres y stafell, crynai, ac arhosodd gan rwbio'r croen gŵydd ar ei breichiau. Archwiliodd y warder ei dillad, ac yna camu i'r caban. Llithrodd ei dwylo dros gorff Josie heb edrych i'w hwyneb.

'Iawn. Fe allwch roi'ch dillad yn ôl amdanoch.'

Wrth wisgo difarai Josie nad oedd wedi meddwl rhoi pâr o jîns yn ei bag. Roedd ei dillad—sgert las tywyll a blows wen—yn rhy debyg i rai swyddogion y carchar.

Dywedwyd wrthi unwaith eto am ddilyn y warder. Roedd y stafell nesaf yn llawn o wragedd. Eisteddent wrth fyrddau yn bwyta. Y funud y daeth Josie i mewn codasant eu hwynebau i edrych arni, o'i chorun i'w sawdl. Dechreuodd un ddynes efo gwallt oren a gwreiddiau tywyll chwerthin.

'Mae'r plant ysgol wedi dod i ymweld â ni!'

'Mae hi'n edrych fel un o'r sgriws i mi,' meddai gwraig arall yn ei hochr. 'Sgriw dan hyfforddiant.'

Teimlodd Josie'r gwrid yn codi i'w gruddiau. Dyna wirion fuodd hi'n peidio â meddwl am ddillad ar ôl gadael y llys! Ond wedyn roedd hi wedi cael cymaint o bethau eraill i feddwl amdanyn nhw.

Bu'n rhaid iddi fynd at y cownter i gael ei bwyd—sbam a thatws a phys tùn a mygiad o de—ac yna dywedwyd wrthi am eistedd i lawr. Petrusodd, ac yna dewis lle gwag yn ochr merch a ymddangosai tua'r un oed â hi. Ni throdd y ferch ei phen. Daliodd ati i fwyta efo un penelin ar y bwrdd ac un llaw'n amddiffyn ei hwyneb.

'Am be wyt ti i mewn 'ta?' meddai'r wraig efo gwallt oren.

'Am brotestio ynglŷn â'r orsaf niwclear,' meddai Josie, gan ei theimlo'i hun yn cochi unwaith eto.

'O, felly?'

'Ac mi wrthodais dalu'r ddirwy.'

'Gwrthod? Ac roedd gen ti fodd i dalu 'ta, cyw?'

Llyncodd Josie y darn bach o gig di-flas yr oedd wedi bod yn ei gnoi. 'Wel,' meddai, 'oedd, am wn i.'

'Pam na wnest ti ddim 'ta?'

Sut y gallai egluro mai mater o egwyddor oedd o? Mi fuasen nhw'n siŵr o chwerthin am ei phen. Be ddylai hi'i ddweud? Roedden nhw'n ei gwylio.

'Wnes i ddim talu achos do'n i ddim yn credu 'mod i'n euog.'

Roedd hynny'n ddigon i wneud iddyn nhw fyrstio chwerthin. Fel petai'r caead wedi'i dynnu oddi ar decell berwedig. Roedd hyd yn oed y ferch yn ei hochr yn piffian.

'Nefi wen,' meddai'r wraig efo'r gwallt oren. 'Mae hon yn rêl un. Sgin rhywun ffag?'

Gwthiwyd platiau i'r ochr, a daeth y pacedi sigarennau allan ac fe ddechreuodd y bargeinio. Cuddiai pawb eu pacedi rhag i neb weld yn union faint o sigarennau oedd ganddynt. Taniodd pawb ar wahân i Josie. Cyfaddefodd un wraig nad oedd hi byth yn smocio, dim ond pan fyddai yn y carchar. 'Mae'n rhaid i rywun ga'l rwbath i'w wneud 'tydi?'

Cynigiodd gwraig ar draws y bwrdd sigarét i Josie.

'Diolch 'run fath, ond dydw i ddim yn smocio.'

'Rwyt ti'n rhy blydi perffaith,' meddai'r wraig wallt oren. Casglodd Josie mai Sal oedd ei henw. 'Hwyrach mai un o'r gweithwyr cymdeithasol 'ma wyt ti? Wedi'i gyrru yma heb i neb wybod.' Chwarddodd a thagu ar y mwg sigarét a dechrau pesychu a bu'n rhaid curo'i chefn.

'Rwyt ti fel y gwragedd Greenham 'na on'd wyt?' meddai'r wraig a oedd wedi cynnig sigarét i Josie. 'Mi fues i i mewn efo rhai ohonyn nhw o'r blaen. Roedden nhw'n grêt. Yn canu trwy'r amser. Ac yn llawn hwyl.'

'Digon hawdd bod yn hwyliog pan ydach chi'n gwybod na fyddwch chi ddim i mewn yn rhy hir,' meddai Sal.

'Pam ti yma 'ta?' gofynnodd yr un yn ei hochr.

'O, yr arferol. Dwyn o siopa.' Gwyliodd Sal ddwy ferch yn uwch i fyny'r bwrdd. Roedden nhw'n ifanc, fawr hŷn na Josie, ac yn bowdwr a phaent i gyd. Gwisgai un ddillad piws, a gwallt a gwefusau o'r un lliw, a gwisgai'r llall hen siwmper ddu efo patrwm arian trwyddi. Roedd y siwmper wedi gweld dyddiau gwell. 'Chi'ch dwy ar y gêm?'

Puteiniaid oedd y ddwy. Roedd ganddyn nhw straeon di-ri i'w hadrodd am y dynion oedd yn eu rheoli nhw, fel y cadwent y rhan fwyaf o'u harian, eu chwipio, a'u twyllo ymhob dull a modd. Dywedodd yr un mewn piws mai ei bòs hi oedd wedi cario clecs i'r heddlu amdani hi. O leia roedd yr heddlu wedi bod yn ei holi, ac wedi'i adael yn rhydd. Ac mi gafodd hi ei harestio'r diwrnod wedyn. Fe laddai hi o unwaith y câi'i thraed yn rhydd.

Roedd gan yr holl wragedd storïau i'w hadrodd, am eu hymddangosiad yn y llys, eu profiadau blaenorol yn y carchar, eu bywydau personol, a'u teuluoedd. Roedden nhw'n poeni am eu plant a oedd wedi'u rhoi mewn gofal. Cafodd un o'r gwragedd ei charcharu am beidio â thalu'i dyledion, gan gynnwys y drwydded deledu—doedd yr arian ddim *ganddi*, meddai, roedd hi ar Nawdd Cymdeithasol—ac wrth iddi siarad dechreuodd fynd yn eitha poenus, a thynnu'i gwallt, ond dywedodd y lleill wrthi am dawelu cyn i'r sgriws ddod yn ôl. Roedd un arall wedi twyllo efo llyfr siec. Pump ar hugain oedd hi, ac roedd wedi bod yn y carchar bedair gwaith. Roedd ei brawd yn rhan o'r twyll hefyd. Ond roedd o'n eitha clyfar, ac wedi gallu osgoi cael ei ddal. Eisteddai Josie'n dawel, yn gwrando. Roedd bywyd y merched yma mor wahanol i ddim roedd hi wedi dod ar ei draws o'r blaen. Roedd hi wedi synnu. Deuai'r rhan fwyaf ohonynt o gartrefi sâl, a dechrau torri'r gyfraith yn gynnar, heb gael cyfle i fyw bywyd strêt a gonest.

'Wedi colli dy dafod ne rwbath?' meddai Sal wrth y ferch yn ochr Josie.

Sgrytiodd y ferch ei hysgwyddau a thynnu'i braich i lawr nes bod briw mawr i'w weld ar ochr chwith ei thalcen.

'Y *pimp* 'nath hyn'na?' gofynnodd Sal.

Nodiodd y ferch.

Ymddangosodd dwy warder yn y drws. Amser i symud ymlaen ar hyd y cyntedd unwaith eto. Gan sythu'u cefnau, cododd y merched dan gwyno, a llusgo ymlaen i'r stafell nesaf lle cawson nhw ddillad gwlâu: dwy gynfas, cas gobennydd a blanced. Allan â nhw eto yn cario'r rheini, ac ymlaen ar hyd mwy o goridorau, i gael archwiliad meddygol.

Dyn oedd y meddyg. Peth rhyfedd hynny mewn carchar i ferched, meddyliodd Josie, wrth eistedd gyferbyn ag ef. Unrhyw hanes o hunanladdiad? gofynnodd. Cyffuriau? Archwiliodd hi'n sydyn a gadael iddi fynd. 'Rydych chi'n ferch iach. Rwy'n synnu'ch gweld chi yn fan hyn.' Ni thrafferthodd Josie i egluro. Beth bynnag, doedd hi ddim am fynd o gwmpas y lle'n dweud, dydw i ddim fel y lleill. Tra oedd hi yno roedd hi fel y lleill: dan glo, yn dilyn yr un rheolau a chyfyngiadau ac amarch.

O'r diwedd aed â nhw i'r asgell dderbyn lle'r oeddynt

148

yn mynd i dreulio'r noson gyntaf. Yn y bore fe'u rhoddid o'r diwedd yn eu celloedd priodol.

Roedd wyth o ferched yn stafell Josie. Dewisodd hi fŷnc uchel, a lluchiodd Sal ei stwff hi ar y gwely o dani ac yna cymryd llyfr nodiadau a beiro o'i bag plastig.

'Oes rhywun isio tudalen?' gofynnodd.

'Sut gest ti'r rheina?' meddai Josie.

'Dwi'n hen law 'sti. Mi wnes i gais ddydd Llun *diwethaf!*' Chwarddodd.

Dim ond tair ohonyn nhw—gan gynnwys Josie—oedd am gael tudalen. Fe gropiodd y ferch efo'r briw i mewn i'w gwely a gorwedd efo'i hwyneb at y wal; dywedodd eraill nad oedd ganddyn nhw neb i sgwennu atyn nhw.

'Alla i gael mwy nag un tudalen, tybed?' gofynnodd Josie.

'Dim ond un llythyr maen nhw'n gadael ichi'i yrru yma, a cheith 'run llythyr fod yn hwy na thudalen.'

'Annwyl Mam,' sgwennodd Josie yn ei hysgrifen leiaf, pan ddaeth yn dro iddi fenthyca'r beiro, 'Rydw i mewn stafell efo wyth o ferched, ac yn dod ymlaen yn iawn . . .'

'Os rhoi di o i'r sgriw yn y bore,' meddai Sal, mi roith hi o mewn amlen a'i bostio i chdi.'

Gwnaethant eu hunain yn barod i fynd i'r gwely. Os oedden nhw am fynd i'r toiled roedd raid curo'r drws ac fe ddeuai warder i fynd â nhw yno. Penderfynodd Josie beidio â glanhau'i dannedd wrth y fowlen molchi yn y stafell, rhag ofn i'r lleill wneud hwyl am ei phen.

Diffoddwyd y goleuadau ond deuai ychydig o olau i mewn o'r tu allan fel nad oedd y stafell yn hollol dywyll. Ceisiodd rhai fynd i gysgu, ond taniodd rhai o'r lleill, fel Sal, sigarét a dechrau rhannu hanesion unwaith eto. Gwyliodd Josie'r sigarennau'n tywynnu'n goch ac yna'n

149

colli'u lliw'n raddol ac yn aildywynnu eto. Ac yna dech-
reuodd y bangio a'r sgrechian. Deuai o ben draw'r
cyntedd.

'O caewch ych cega!' meddai Sal. 'Y blincing bangio
'na sy'n mynd ar yn wic i yn y lle 'ma.'

Clywid y bangio eto bob hyn a hyn, drwy'r nos, a'r
sgrechian. Roedd rhai o'r sgrechiadau'n ddychrynllyd ac
yn peri i Josie grynu. O bryd i'w gilydd tybiai ei bod yn
gallu clywed rhywun yn crio yn y stafell. Ai'r ferch efo'r
briw oedd wrthi? Meddyliai Josie mai hi oedd. O'r
diwedd, cododd Sal ei hun i'w bỳnc a siglodd y ffrâm fel
llong ar y môr. Ochneidiodd Sal yn uchel ac yna llonydd-
odd hi a'r bỳncs.

Tynnodd Josie'r gynfas dros ei hwyneb a setlo i lawr i
dreulio'i noson gynta mewn carchar.

PENNOD 17

Yn y bore fe'u gwahanwyd a'u harwain i'w celloedd. Dodrefnwyd y stafelloedd gyda set o wlâu bỳnc, un bwrdd ac un gadair, basn molchi, efo drych â chrac ynddo uwch ei ben, a thoiled heb unrhyw breifatrwydd. Fel carcharor, doedd neb yn gallu fforddio bod yn sidêt. Y butain efo'r briw oedd yn rhannu'r gell efo Josie. Tracey oedd ei henw. Dyna'r unig wybodaeth roedd hi'n barod i'w rhoi amdani'i hun yn ystod y ddwy awr gyntaf. Gan fod Josie'n teimlo'n flinedig, a bod cur yn ei phen, gorweddodd ar ei bỳnc a cheisio pendwmpian am ychydig. Roedd yn siomedig na chawsai ei rhoi mewn cell efo Sal, oherwydd er bod honno'n eitha garw'i ffordd, roedd 'na ryw gryfder yn perthyn iddi a apeliai at Josie. Roedd wedi cael ei chicio'n ôl ac ymlaen gan fywyd ond yn dal i allu chwerthin. Ac fe wyddai be oedd be yn y carchar. Byddai ei phrofiad wedi bod yn help.

Dim ond gwybodaeth ail-law oedd gan Josie am garchar: dyma'r tro cynta iddi hi fod i mewn. Pan ddeffrodd Josie ei hun a chodi i olchi'i hwyneb, roedd Tracey'n sefyll wrth y ffenest efo barrau arni yn syllu allan ar yr wybren. Os edrychech i lawr gallech gael cip ar yr iard ymarfer islaw.

'Hwyrach y bydda i yma am fisoedd,' mwmiodd Tracey. Ar brawf yr oedd hi, meddai, pan holodd Josie hi, ac roedd yn ymddangos y gallech fod i mewn am fisoedd yn aros eich prawf.

'Ond mae hyn'na'n ofnadwy,' meddai Josie. 'Beth petai'ch dedfryd chi'n llai na'r amser rydach chi wedi'i dreulio ar brawf?'

Chwarddodd Tracey, rhyw chwarddiad bach main, sur, hollol wahanol i chwerthin iach Sal. 'Wyt ti'n meddwl y basan nhw'n gada'l i hyn'na ddigwydd?'

Ond na fasan mae'n siŵr, meddyliodd Josie. Meddyliodd hefyd y buasai'r llysoedd yn brysurach yn Llundain nag yng ngweddill y wlad. Ond mae'n siŵr y gellid gwneud rhywbeth i ofalu nad oedd pobl a geid yn ddieuog yn gorfod aros am fisoedd ar fisoedd yn y carchar yn aros am eu prawf?

'Faswn i ddim yn poeni gormod am y peth 'taswn i'n ti,' meddai Tracey. 'Wedi'r cwbl, raid i ti ddim poeni, na raid? Am faint wyt ti i mewn—deng niwrnod ne rwbath felly?'

Agorwyd y drws ac meddai'r warder, 'Blodau i chi, Josephine.'

Daliodd y drws ar agor tra cariodd warder arall hwy i mewn. Rhoes Josie ei llaw ar ei cheg mewn syndod.

'Ydi dy fam yn cadw siop floda 'ta?' meddai Tracey.

'Mi chwiliwn ni am botiau jam,' meddai'r warder.

Darllenodd Josie'r cardiau. 'Cofio amdanat ti. Llawer o gariad, Mam.' 'Ti yw'r orau'n y byd. Cofion Anna, Emma a'r criw.' 'Cyfarchion fil, Sheila a John Greig.' 'Dyna f'athro Hanes i,' meddai Josie. Ac meddai'r cerdyn olaf. 'Rwy'n dy garu di, Rod.' Roedd yna dri thusw oddi wrtho fo, blodau coch, gwyn a phinc.

'Fo 'di dy gariad di?' meddai Tracey.

'Ia,' meddai Josie. Ni allai wadu'r peth.

Gwnaeth y blodau iddynt godi'u calonnau. Roedd hyd yn oed Tracey yn gwenu a chyffwrdd y petalau. Helpodd y merched ei gilydd i'w rhoi yn y potiau ac i roi trefn arnynt.

'Dwi wrth 'y modd efo bloda,' meddai Tracey, gan

152

wthio'i hwyneb i ganol y blodau pinc. 'Wneith neb anfon rhai ata i, mae hynny'n siŵr.'

'Gei di rannu fy rhai i.' Edrychodd Josie ar friw'r llall ac yr oedd yn dechrau troi'n biws a melyn. 'Pam gest ti dy guro fel'na?'

'Mae'n rhan o'r gêm. Hen fochyn bach cas ydi o! Roedd o'n deud 'mod i'n cuddio pres rhagddo fo, ond doeddwn i ddim, wir yr, doeddwn i'm yn gneud dim byd o'r fath.' Crebachodd Tracey'n sydyn a dechrau crio. Rhoes Josie law yn betrus ar ei hysgwydd a chan na chafodd ei gwthio i ffwrdd, daliodd hi yno.

'Be sy'n mynd ymlaen yn fan'na?' gofynnodd warder trwy'r hollt yn y drws. Dim ond ei llygaid oedd i'w gweld, dyna'r cwbl.

'Dim byd,' meddai Josie. 'Mae Tracey wedi ypsetio, ond mi fydd hi'n iawn mewn munud.' Cerddodd y warder ymlaen.

Daeth hanes bywyd Tracey i'r golwg o dipyn i beth. Roedd hi wedi cael ei magu yng Nghanolbarth Lloegr, a'i thad wedi marw pan oedd hi'n ddwy, a'i mam wedi ailbriodi, ac wedyn ei thad gwyn wedi'i churo, yn gyson, bob nos Sadwrn ar ôl iddo fod yn yfed, ac wedyn wedi cymryd mantais arni'n rhywiol. 'Mi ddwedais i wrth Mam, a doedd hi ddim yn credu, felly fe hitiodd fi, ac yn y blaen. Allwn i ddim diodde'r peth, allwn i ddim, a wyddwn i ddim be i'w neud, felly mi redais i ffwrdd.' Pedair ar ddeg oedd hi'r adeg honno. Fe aeth i Lundain wedyn, a chysgu yn unrhyw le, a gwagswmera o gwmpas llefydd fel Earl's Court a King's Cross a phigo dynion i fyny. 'Be arall fedrwn i 'i neud? Roedd raid i mi gael arian. Roedd raid imi gael bwyd.' Roedd hi'n ddwy ar bymtheg rŵan.

"Run oed â fi!' meddai Josie. Roedd hi wedi cael sioc. I feddwl fod Tracey wedi bod yn byw fel putain am *dair* blynedd yn barod! Teimlai ei bod hi wedi cael bywyd cysgodol ofnadwy mewn cymhariaeth. 'Ai dyma'r tro cynta iti ga'l d'arestio?'

'O naci. Ges i 'nghymryd i mewn o'r blaen, ond cyn hyn doedd raid imi ond ymddangos yn y llys y bore wedyn a chael dirwy. Maen nhw'n rhoi dirwy o ryw gan punt iti, falla. A sut wyt ti'n mynd i gael arian fel'na ond trwy fynd nôl ar y stryd?'

Amser cinio, aethpwyd â nhw i stafell fwyta fechan. Roedd rhyw bymtheg o ferched yn cael bwyd yno. Roedd y rhan fwyaf ohonynt ar brawf, ac roedd rhai wedi bod i mewn am bron flwyddyn. Roedd Sal wedi'i gosod ei hun wrth un o'r byrddau'n barod.

'Haia,' meddai wrth Josie. 'Sut ti'n dŵad 'mlaen 'ta? Ydi'r sgriws yn dy drin di'n weddol?' Chwarddodd. 'Sut wyt ti'n licio dy stafell? Tair seren, tybed? Neu bedair?'

Cawsant facaroni caws (fawr o gaws, chwaith), sglodion a stwns tatws gludiog, a chwstard plaen i ddilyn. Allai Josie ddim llyncu mwy na rhyw ddwy gegiad. Roedd cinio ysgol bron fel *cordon bleu* o gymharu â hyn.

'Mi gynefini di ar ôl yr wythnos gynta,' meddai Sal, gan danio sigarét.

Roedd pawb yn smocio ar wahân i Josie. Torrent nifer o sigarennau'n ddarnau a gwneud nifer o rai tenau ohonynt, gan eu rowlio mewn papur ffres. Dyna un o'r prif bethau yn y carchar—smocio: y bargeinio, y rowlio, ac wedyn y munudau'n pwffian.

"Tasan ni ddim yn smocio mi fasan ni i gyd yn Nhŷ'r Muppets,' meddai Sal. Eglurodd wrth Josie, 'Dyna lle maen nhw'n rhoi'r merched gwallgo. Y rheini sy off 'u penna.'

'Dydyn nhw i gyd ddim off 'u pennau,' meddai dynes arall o'r enw Pat. 'Jyst bod rhai ohonyn nhw'n methu dal.'

'Maen nhw i'w clywed yn sgrechian yn y nos,' meddai merch o'r enw Cathy. 'Ac yn cwynfan. Fel anifeiliaid mewn caets.'

Crynodd Tracey.

Roedd Cathy'n poeni am ei phlant, hogyn chwech oed a merch saith oed. Dangosodd eu lluniau i Josie. Siaradai amdanynt yn ddi-ben-draw bron. Fe aethpwyd â nhw dan ofal pan gafodd hi ei harestio. 'Duw'n unig ŵyr pryd ca i fynd o'ma!' meddai a tharo'r bwrdd nes bod y te'n slopian o'r cwpanau ac yn llifo ar draws y bwrdd i gôl y lleill nes gwneud iddyn nhw neidio ar eu traed. 'Duw'n unig ŵyr!'

'Well iti fod yn ofalus,' meddai Sal, ne mi ân â chdi i Dŷ'r Muppets.'

Daeth y warder a oedd wedi bod yn cael sgwrs y tu allan i weld beth oedd yn bod.

'Mae popeth yn iawn,' meddai Sal. 'Dim ond Cathy ddaru golli tipyn o de.'

Edrychai'r warder fel pe na bai'n ei chredu, a thorrodd eu hawr ginio, a mynd â nhw fel defaid yn ôl i'w celloedd.

'Mae'n siŵr ei bod hi'n uffern i fod yn Nhŷ'r Muppets,' meddai Tracey.

'Paid â meddwl am y peth,' meddai Josie. 'Wnân nhw mo dy roi di yno.'

'Sut gwyddost ti? Mi allan nhw neud fel fynnan nhw.'

155

Ganol y pnawn aethpwyd â nhw i lawr i'r iard am hanner awr o ymarfer. Dyma binacl y diwrnod, ac ar ddyddiau glawog, treulient lawer o amser yn sefyll wrth ffenestri'r celloedd yn syllu'n bryderus ar yr wybren ac yn rhegi'r tywydd. Roedd yr iard wedi'i chau i mewn yn llwyr; doedd dim posib gweld golwg o'r byd tu allan, er bod ychydig o sŵn y drafnidiaeth yn treiddio drwodd. Cerddai'r merched o gwmpas yr iard, bob yn ddwy neu dair, ac weithiau ar eu pennau'u hunain.

Lonciodd Josie o gwmpas yr iard er mwyn manteisio ar y toriad byr. Roedd ei choesau'n ysu am ymarfer; roedd hi wedi arfer cymaint â cherdded, seiclo a rhedeg. A phan oedden nhw'n ôl yn y gell, dechreuodd wneud tipyn o ymarfer corff, a pherswadio Tracey i ymuno â hi. Erbyn y diwedd, roedden nhw'n chwerthin, allan o wynt, ar y llawr.

'Mi fydda i'n brifo drosta fory,' meddai Tracey. 'Dwi'm 'di gneud petha fel hyn er pan adewais i'r ysgol.'

'Be sy'n mynd ymlaen yn fan'na?' gofynnodd y warder a oedd yn sbecian arnynt trwy'r hollt.

'Dim byd,' meddai Josie. 'Dydan ni 'mond yn eistedd ar y llawr.'

Tynnodd Tracey ei thafod allan ar y drws ar ôl i'r warder gerdded ymlaen. 'Roedd hyn'na'n hwyl. Ffordd o lenwi'r amser, beth bynnag.'

'Mi allen ni chwarae actio,' meddai Josie. 'Be dwi?' Trodd ei llaw, yn gyflym o'r garddwrn.

'Sgriw!' gwaeddodd Tracey, dan chwerthin.

*   *   *   *

Fe gawsant hanner awr o gymdeithasu fin nos. Digwyddodd hyn mewn stafell eistedd lle'r oedd set deledu a rhyw chydig o lyfrau—Mills and Boon a rhyw ramantau felly. Fe ddylen nhw gael awr a hanner, cwynai rhai o'r merched, ond dywedai'r Swyddogion nad oedd ganddyn nhw ddigon o staff i ofalu amdanyn nhw.

'Dach chi'n lwcus i gael amser rhydd o gwbl ar ôl y ffordd mae rhai ohonoch chi wedi bihafio.'

Roedd llawer o sŵn wedi bod, ac fe gafodd rhywun sterics. Fe gafodd honno'i symud i Dŷ'r Muppets wedyn.

Doedden nhw ddim yn mynd i gael noson deledu, beth bynnag, meddai'r warder. 'Mae'n rhaid fod ei throwsus isa hi wedi crebachu,' meddai Sal ar ôl i'r warder fynd a'u cloi i mewn.

Dechreuasant rowlio sigarennau. Cafodd Josie gip ar un neu ddau o'r llyfrau, gan ddarllen ychydig linellau yma ac acw. 'Dyn tal oedd Gregory gyda gên benderfynol . . . "Rwy'n dy garu di," meddai. "Fe'th garaf am byth bythoedd . . ."' Dim ond ychydig baragraffau o nofel ac un gerdd yr oedd wedi cael cyfle i'w darllen yn ei chell. Treuliai hi a Tracy'r rhan fwyaf o'r amser yn siarad, yn cyfnewid hanesion am eu bywydau, neu'n actio gêmau. Sylwodd Josie ar wraig yn y gornel yn darllen yn ddi-ben-draw.

'O, mae Joy wedi gwirioni ar straeon serch,' meddai Pat.

'Mae'n rhaid ei bod yn meddwl fod ei chariad delfrydol yn mynd i ddod i'w hachub hi,' meddai Sal. 'Ar gefn ceffyl gwyn i'w chwyrlïo hi oddi ar ei thraed. Dyna braf fasa'i weld o'n marchogaeth yn dalog heibio rhes o sgriws!'

Parodd hynny iddyn nhw chwerthin.

Yn ôl yn y gell, dan glo dros nos, gofynnodd Tracey, 'Sut un ydi dy gariad di, 'ta?'

157

'O mae o'n neis,' meddai Josie. 'Hoffet ti weld ei lun o?' Roedd ganddi lun ohono yn ei bag, yn ogystal ag un neu ddau o'i mam. Fe dynnodd y llun arbennig yma o Rod ar y traeth ryw chydig ar ôl iddyn nhw ddechrau canlyn. Roedd ei wallt ar hyd y lle i gyd oherwydd y gwynt, ac roedd yn chwerthin hefyd.

'Wyt ti'n cysgu efo fo?'

'Ddim eto. Mi wna i rywbryd, mae'n debyg.'

Ochneidiodd Tracey. 'Mae o'n edrych yn O.K. Fasa fo ddim yn dy guro di, debyg.'

'O na! Faswn i ddim yn mynd allan efo fo 'tai o'n gneud hynny.'

'Wyt ti'n mynd i'w briodi fo?'

'Dydw i ddim hyd yn oed wedi meddwl am hyn'na! Mae gen i gymaint o betha i'w gneud gynta.'

'Mi fues i'n mynd efo hogyn ro'n i'n ei licio unwaith, ond ddaru hynny ddim para. Sut galla fo? Mi roddodd 'y mòs i ddiwedd ar hynny. Bòs, wel ti'n gwbod—*pimp.*'

'Elli di ddim ca'l gwared ag o?'

Chwarddodd Tracey.

'Pam na wnei di fynd o'r ardal?'

'Ond mae'n rhaid imi gael to uwch 'y mhen yn rhaid?'

Ildiodd Josie. Doedd dim pwynt dweud wrth Tracey am chwilio am stafell—neu garafán. Roedd angen help ar Tracey i roi'i bywyd mewn trefn.

Rhoddodd Josie lun Rod dan ei gobennydd y noson honno cyn mynd i gysgu. Dwi'n lwcus, meddyliodd, wrth orwedd a gwylio'r cysgodion ar y nenfwd a gwrando ar y bangio a'r sgrechian, ac mae'n rhaid imi beidio ag anghofio hyn'na.

PENNOD 18

Fore dydd Sadwrn, cychwynnodd Emma ac Anna, efo Felicity, Trish a Marilyn, am Lundain. Roedd rhai o'r merched eraill wedi bwriadu mynd ond cawsant eu rhwystro gan rieni ofnus. Teithiodd y tair ar y bỳs. Roedden nhw'n llwythog iawn. Cwynodd y gyrrwr, ond mewn modd hynaws, wrth stryffaglio i gael lle i'w paciau. 'Dengid i ffwrdd 'dach chi?'

Cawsant ddau dacsi i fynd â nhw i'r carchar. Roedd Mrs Hunter wedi rhoi digon o arian iddynt dalu. 'Fedrwch chi byth fynd â'r holl stwff yna ar y bỳs na'r tiwb.'

'Holloway?' gofynnodd y gyrrwr eilwaith gan edrych ar Anna ac Emma yn ei ddrych. 'Wneith fan hyn?' meddai, gan aros wrth dop mynedfa a arweiniai i lawr i le oedd yn edrych yn debyg i floc gweinyddol. Dywedai arwydd mai hwn oedd 'Carchar Ei Mawrhydi, Holloway', a'r tu draw i hwnnw, roedd polyn ar draws y ffordd ac arwydd arall yn dweud wrth gerbydau am aros.

'Mi fydd fan hyn yn iawn,' meddai Emma.

Helpodd y gyrrwr hwy efo'u bagiau a gyrru i ffwrdd. Dyna lle'r oedden nhw'n sefyll yn dwr o gwmpas eu paciau amrywiol, yn teimlo braidd yn hunan-ymwybodol. Ymestynnai waliau allanol y carchar yn uchel a diffenest, er bod ffenestri yn y bloc gweinyddol.

'Mi fetia i bod rhywun yn ein gwylio,' mwmiodd Anna gan droi'i chefn ar yr adeilad.

'Meddyliwch am gael eich cloi mewn fan'na!' meddai Emma.

Doedden nhw ddim yn siŵr pryd yn union roedd Josie'n mynd i gael ei rhyddhau, ond roedden nhw'n bwriadu aros tan hynny beth bynnag. Roedd gan Anna wythnos o wyliau o'r archfarchnad ac roedd y lleill wedi penderfynu chwarae triwant o'r ysgol.

'Be fedran nhw'i neud inni?' meddai Emma. 'Falla collith y Prif ei limpin, ond ellith o mo'n hel ni o'r ysgol.'

Roedd y teimlad yn yr ysgol yn gryf o blaid Josie. *Petai*'r Prifathro'n ceisio cael gwared â hi—neu unrhyw un ohonyn nhw—mi fyddai yna chwyldro ar droed.

Cyrhaeddodd y tacsi arall; daeth Felicity, Marilyn a Trish allan ohono.

'O leia dydi hi ddim yn bwrw,' meddai Trish gan edrych ar yr awyr. 'Nid ar y funud o leia.' Roedd 'na gymylau'n ymgasglu. Mi fuasai'n anodd petai'n glawio'n drwm, neu'n hir, er bod ganddyn nhw ddigonedd o bolythen a phump ambarél streipiog.

Dewisasant ran o'r palmant yn ymyl top y fynedfa a rowlio planced drwchus ar y llawr, ac yna gosod eu matiau a'u bagiau cysgu yn un rhes, ac yna'r cynfasau polythen ar y top.

'Dyna ni!' meddai Anna, gan symud yn ôl i edmygu'r gwaith. 'Dyna Wersyll Josie wedi'i osod. Ar wahân i un peth!'

O'i bag tynnodd y faner hir yr oedden nhw wedi'i llunio a'i gosod ar hyd y ffens.

RYDYM YN DY GARU DI, JOSIE, meddai'r llythrennau cochion ar gefndir gwyn. RWYT TI WEDI CODI WAL FRICS RHYNGOM, OND WNEI DI BYTH DORRI'R CLYMAU SY'N EIN HUNO. Fe ddywedodd ffrind i Mrs Hunter, a oedd wedi bod yn Greenham ac yn y carchar yn Holloway, fod ei ffrindiau hi wedi paratoi baner i'w chroesawu'n ôl.

'Mae'n siŵr eu bod nhw'n gwybod ein bod ni yma?' meddai Felicity.

Fe gawsant wybod yn ddigon buan pan gyrhaeddodd car y polîs, a dau blisman yn dod allan ohono.

'A be sy'n mynd ymlaen fan hyn?'

'Rydan ni'n cynnal gwylnos,' meddai Emma gan groesi'i bysedd y tu ôl i'w chefn. Fe glywsant fod y plismyn weithiau'n gadael i dri aros, ond weithiau'n eich gorfodi i symud ymlaen.

'"Rydym yn dy garu di, Josie",' darllenodd un plisman. 'Be mae hi wedi'i neud 'ta?'

'Protestio yn erbyn gorsaf niwclear yn ein hymyl ni, ' meddai Anna. 'Wel, roedden ni i gyd yno. Fasach *chi* ddim, ar ôl be ddigwyddodd yn Chernobyl?'

'Pawb â'i farn am hynny, ond mae'n rhaid parchu'r gyfraith.'

'Beth os nad oes neb yn gwrando arnoch chi?' meddai Emma. 'Be newch chi wedyn?'

Cawsant sgwrs reit hir efo'r plismyn. Rhai ifanc oedden nhw, yn eu hugeiniau cynnar. Cyfaddefodd y ddau yn y diwedd nad oedden nhw'n rhy hoff o orsafoedd niwclear chwaith.'

'Gawn ni aros?' gofynnodd Anna. 'Wnawn ni ddim niwsans ohonon ein hunain, wir rŵan. A wnawn ni ddim gadael sbwriel ar ein holau na dim felly.'

Nid nhw oedd i benderfynu, meddent; byddai'n rhaid iddyn nhw fynd yn ôl i orsaf yr heddlu i adrodd am y peth. Aethant i ffwrdd. A'r funud yr aethon nhw, gyrrodd car arall atynt ac aros. Y tu mewn roedd yna newyddiadurwr a ffotograffydd. 'Mae newyddion yn teithio'n gyflym,' meddai Emma. Ond roedd y merched yn falch o gael adrodd hanes Josie a chael tynnu'u lluniau yn eu bagiau cysgu. A chyn tynnu'r llun, aeth Felicity i'w bag i nôl baner a ddywedai:

'NA' WRTH YNNI NIWCLEAR!

'Gofalwch fod *hon'na* yn y llun,' meddai Anna.

Wrth lwc, roedd y wasg wedi ymadael cyn i'r heddlu ddychwelyd. Plygwyd y faner wrth-niwclear a disgwyliasant y dyfarniad. Fe gaent aros! Ar hyn o bryd, o leiaf. Ond rŵan byddai'n rhaid cael plisman i wylio ddydd a nos, a doedd y plismyn ddim yn rhy falch o hynny. Roedd ganddyn nhw amgenach pethau i'w gwneud! meddent.

Gosododd un ohonynt ei hun ychydig lathenni oddi wrth y gwersyllwyr, ac aeth y llall i ffwrdd, gan ddychwelyd i roi egwyl i'r llall yn nes ymlaen. Setlodd y merched i lawr i gael picnic, ond tarfwyd arnynt pan ddaeth car arall efo riportar a ffotograffydd. Roedd pobl yn mynd a dod drwy'r dydd. Arhosai tua hanner y bobl i siarad neu i ddarllen y sloganau neu i gael copïau o'r pamffledi roedden nhw wedi'u ffotogopïo ymlaen llaw. Roedd y pamffledi'n adrodd cefndir yr achos.

'Sgwennwch at eich Aelod Seneddol,' anogodd y merched. 'Mae hyn yn effeithio arnoch chi, dim ots lle'r ydach chi'n byw.'

Ar un adeg roedd mwy na dwsin o bobl wedi ymgasglu o'u cwmpas ar y palmant. Arhosodd rhai am awr neu ddwy i'w cefnogi, a daeth eraill â bwyd a diodydd poeth iddynt. Daeth un hen ŵr â blanced gan fynnu eu bod yn ei derbyn.

'Mae'n anhygoel mor garedig ydi pobl,' meddai Marilyn.

Cawsant gawod o law yn y pnawn a bu'n rhaid iddynt geisio ymochel, gan gysgodi popeth oedd ganddynt.

162

Trawai'r glaw ar yr ambaréls lliwgar ac ar y palmant o'u blaenau. Ond teimlent hwy'n ddiddos a sych. Sylweddolasant eu bod yn mwynhau'u hunain, a theimlent yn euog braidd.

'Go brin fod Josie'n mwynhau'i hun, yntê?' meddai Trish.

*   *   *   *

Teithiai newyddion yn gyflym, nid yn unig tu allan i'r carchar ond hefyd tu mewn. Erbyn swper roedd Josie wedi clywed fod 'na wersyll tu allan i giatiau'r carchar.

'Pum merch,' meddai Sal. 'Yn union fel roedden nhw'n arfer ei wneud efo merched Greenham. Ar dy gyfer di mae o, Josie.'

Gwenodd Josie. Da iawn nhw! Rhoddodd ei chrys gwyn i hongian allan o'r ffenest rhag ofn y gallen nhw'i weld. Fe ddywedson nhw yn eu llythyrau y byddent yn dod. Roedd hi wedi derbyn llythyrau gan bob un ohonyn nhw bob dydd, yn ogystal ag oddi wrth ei mam a Rod, a llythyrau unigol oddi wrth ddwsinau o bobl eraill, cyd-ddisgyblion, rhai athrawon, a hefyd nifer oddi wrth ddynion a merched yn eu tre nhw nad oedd hi erioed wedi'u cyfarfod. Anfonodd Anna doriad o'r papur newydd, 'Nith i siopwr lleol yn mynd i Holloway,' meddai. Mi fuasai hwnnw wedi codi gwasgedd gwaed yr 'UFO' ac Anti Glad! Cwynai'r warderiaid wrth ddod â'r llythyrau i Josie. 'Fel petai gynnon ni ddim digon i'w wneud heb orfod palu trwy'r stwff yma!' Roedd yn rhaid iddyn nhw ddarllen llythyrau'r carcharorion ymlaen llaw.

Cyrhaeddodd y newyddion ar yr union adeg iawn. Roedd Josie wedi bod yn teimlo braidd yn isel—roedd yn amhosib codi'ch calon trwy'r amser—ac roedd Tracey wedi bod yn ddi-hwyl drwy'r dydd. Fe fu hyd yn oed yn sôn am gyflawni hunanladdiad. Roedd Joy wedi ceisio torri'i garddyrnau y noson cynt efo cyllell heb fin arni y llwyddodd i'w lladrata o'r stafell fwyta, ac ar ôl hynny bu'n rhaid iddi fynd i Dŷ'r Muppets. Roedd ganddi greithiau ar ôl ceisio gwneud hynny fwy nag unwaith o'r blaen.

'Pa ateb arall sy 'na?' meddai Tracey wrth Josie. Hyd yn oed ar ôl gadael y lle yma fasa hi ddim yn rhydd mewn gwirionedd yn na fasa?

Siaradodd Josie efo hi am oriau, gan geisio'i pherswadio i feddwl y gallai ddianc o'r gors roedd hi ynddi. 'Does dim rhaid iti fynd yn ôl at dy hen fywyd.' 'Nac oes?' 'Mi helpa i di pan ddoi di allan.' 'Be fedri di'i wneud?' 'Cryn dipyn. Mi fasat yn synnu! Mi gaet ti aros efo Mam a fi am dipyn.' 'Yn eich carafán?' 'Mi fydd gynnon ni dŷ erbyn hynny.' 'O ia . . .' Ddaeth Tracey ddim o'i chell i gael swper. Doedd arni ddim eisiau bwyd, meddai hi. Poenai Josie amdani, ond wyddai hi ddim be arall y gallai'i wneud drosti.

'Paid ag yngan gair wrth y sgriws, beth bynnag,' meddai Sal. 'Neu yn Nhŷ'r Muppets fydd hi ar ei phen!'

'A dyna fasa'i diwedd hi.'

'"Does unman yn debyg i gartref",' canodd Sal. 'Dwi'n flinedig ac isio mynd i 'ngwely.'

Bu Tracey'n swnian crio am awr ar ôl diffodd y goleuadau, a doedd dim cysuro arni. Yng nghanol y nos cododd a dechrau curo ar y drws.

'Rho'r gora iddi, Tracey!' gwaeddodd Josie, gan neidio ati a'i llusgo i ffwrdd.

'Gad lonydd imi, gad lonydd imi!' sgrechiodd Tracey a

rhoddodd Josie glusten iddi ar draws ei hwyneb. Disgyn-
nodd Tracey i'w breichiau fel doli glwt.

'Mae'n ddrwg gen i, Tracey, ond roedd raid imi.' Wrth
fwytho gwallt Tracey, teimlai Josie ei bod wedi
heneiddio rhyw ddeng mlynedd yn ystod y chwe
diwrnod diwethaf.

'Be sy'n bod yn fan'na?' meddai llais trwy'r hollt yn y
drws.

'Dim byd,' meddai Josie yn flinedig.

*   *   *   *

Cododd pum gwersyllwraig yn blygeiniol ddydd Sul.
Teimlent yn anystwyth, a'u cyrff yn brifo drostynt. Go
brin y gellid dweud iddynt gael noson dawel: fe arafodd
y drafnidiaeth rywfaint, ond heb beidio'n llwyr, ac fe
ddaeth criw o lanciau i darfu arnynt, a bu'n rhaid galw
am blismyn i'w hel oddi yno. Buont yn anlwcus ynglŷn â
hynny, a gobeithient nad oedd yr heddlu'n mynd i
ddefnyddio'r helynt fel esgus dros eu symud *nhw* oddi
yno. Bu'n bwrw hefyd, yn ddi-stop am awr gyfan, ac
roedd peth o'r gwlybaniaeth wedi treiddio i'w bagiau
cysgu.

Ond roedd y bore'n braf a heulog wrth lwc. Gallent
agor eu bagiau cysgu i sychu yn yr haul. Buont yn gwneud
ymarferion i ystwytho'u cyrff. Yna aethant i gaffi cyfagos
i gael brecwast; Felicity, Trish a Marilyn yn mynd gynta,
ac Emma ac Anna yn nes ymlaen.

'Ew, mae'r coffi 'ma'n dda,' meddai Anna wrth orffen
ei chwpanaid. Archebodd fwy. Cawsant facwn ac wy a
digonedd o dôst, ac erbyn iddyn nhw yfed trydedd
gwpanaid o goffi, teimlent yn fodau dynol unwaith eto,
fel y dywedodd Anna.

165

'Rhaid inni neud mwy o ymarferion heddiw, rhedeg rownd y bloc ac yn y blaen,' meddai Emma, 'ne mi fydd gynnon ni grydcymala erbyn dydd Iau.'

Allen nhw ddal pum noswaith gyfan ar y palmant, yn y gwynt a'r glaw? Ond roedd raid iddyn nhw, o gofio faint roedd Josie'n gorfod ei ddioddef.

Ar eu ffordd yn ôl aethant heibio i nifer o fân strydoedd er mwyn ceisio cael at gefn y carchar. Doedd hynny ddim yn hawdd: roedd y lle'n llawn o adeiladau, yn dai a fflatiau. Cawsant gip o bell o waliau a ffenestri'r carchar, efo barrau gwyrdd ar bob un. Hongiai crys gwyn allan o un ohonynt, fel baner. Ai Josie oedd wedi'i hongian yno, tybed, fel arwydd? Gallai'n hawdd fod, meddylient.

O'r diwedd, ar ôl croesi maes parcio mwdlyd, llwyddasant i dreiddio at y wal allanol. Gan roi'u dwylo o gwmpas eu cegau, gwaeddasant ar dop eu lleisiau, 'Josie! Josie! Josie!' Yna aethant yn ôl i ymuno â'r lleill.

Roedd awyrgylch y dydd Sul i'w deimlo ar y strydoedd. Âi ambell un heibio efo'r ci neu'n cario papur newydd. Canai clychau eglwys yn ymyl.

Arhosodd dwy wraig ar eu ffordd i'r eglwys. Gwrandawsant ar stori'r merched, ac roeddynt yn cydymdeimlo. Fe weddïent dros Josie, medden nhw.

Yn fuan wedyn, daeth dyn heibio, yn amlwg yn anghytuno â'u daliadau. 'Blydi ffyliaid! Ddylech chi i gyd gael eich cloi mewn fan'na.' Cododd ei ddwrn arnynt.

'Dydan ni'n gneud dim drwg i chi,' meddai Anna.

'Sh!' meddai Emma.

Gwyddent, wrth gwrs, nad oedd dim pwynt dadlau'n ôl efo rhywun oedd wedi colli'i dymer.

'Dydi hi ddim mor hawdd cadw'n dawel chwaith, yn nac ydi?' meddai Trish.

'Ti'n deud wrtha i!' meddai Anna.

Ond teimlent yn ddigon calonnog. Roedd hi'n ddiwrnod braf ac roedden hwythau wedi llwyddo i ddal un noson o leiaf. Doedden nhw ddim yn mynd i wangalonni oherwydd fod un dyn wedi codi'i ddwrn arnynt.

Roedd y person nesaf a ddaeth ar hyd y stryd yn cario bag anferth ar ei gefn.

'Nefoedd!' meddai Emma. 'Edrychwch pwy sy'n dŵad! Rod!'

'Ga i ymuno efo chi?' gofynnodd, gan daflu'i fag i lawr ar y palmant.

Dechreuodd Tracey wneud sigarennau efo blodau. Doedd ganddi ddim arall i'w smygu ac roedd yn rhaid iddi gael smygu rhywbeth.

'Tria un,' meddai ac fe wnaeth Josie er mwyn ei phlesio. Gwnâi bopeth a allai i'w chadw mewn hwyliau da. I'w chadw'n gall. Ond fel yr âi'r dyddiau heibio âi'n anos ac yn anos. Cofiai Josie wneud sigarennau allan o flodau efo Rachel pan oedden nhw ryw ddeg neu un ar ddeg oed. Ymddangosai'r dyddiau hynny filoedd o flynyddoedd yn ôl bellach.

'Be wna i pan ei di allan, Josie?' meddai Tracey. *'Be ydw i'n mynd i'w neud?'*

'Mi fyddi di'n iawn! Mi ddo i i dy weld di unwaith y mis ac mi sgwenna i bob dydd. Dwi'n addo.'

'Wnei di ddim, mi anghofi. Unwaith y cei dy draed yn rhydd.'

'Anghofia i ddim, coelia di fi! Anghofia i ddim o hyn.'

'Na, falla na wnei di ddim.' Cododd Tracey ei chalon rywfaint. 'Mae pobl yn anghofio fel arfer, ond rwyt ti'n wahanol.'

Troesant, wrth ddod yn ymwybodol eu bod yn cael eu gwylio, a gweld llygaid yn yr hollt yn y drws. Roedd 'na un warder roedden nhw'n ei chasáu'n waeth na neb—fe'i galwent yn Llygaid Busneslyd—ac roedd hi bob amser yn sbecian arnynt ac yn gofyn be oedd yn mynd ymlaen. Hoffai eu gwawdio am nad oeddynt ond dwy ar bymtheg. 'Sut bydd y pâr ohonoch chi pan fyddwch yn ddeunaw tybed?'

'Ydi hi'n amser ymarfer?' gofynnodd Josie.

'Dwi ddim yn meddwl fod eich ffrind yn haeddu cael

mynd allan. Roedd hi'n tynnu'r to i lawr efo'i sŵn dipyn yn ôl. Mi wnâi les iddi gael ei gadael ei hun am dipyn er mwyn iddi dawelu.'

'Doedd hi ddim yn gneud dim byd,' meddai Josie, gan siarad yn araf rhwng ei dannedd. Un peth a ddysgodd yn y lle yma oedd sut i reoli'i thymer, er ei bod yn meddwl y byddai'n siŵr o ffrwydro pan gâi fynd allan. 'Dim ond chwarae gêm oedden ni.'

'Gêm wir!'

'Gadewch hi allan, plîs gadewch iddi fynd!'

'Wel, mi fydd well iddi fihafio'i hun, dyna'r cyfan ddweda i.'

Felly gadawyd i Tracey fynd. Cerddodd Josie a hithau o gwmpas yr iard efo'i gilydd.

'Mae hi â'i chyllell yno i,' meddai Tracey. 'Mi fydd yn siŵr o 'nghael i pan ei di o'ma.'

'Na fydd, os gofali di na *cheith* hi ddim. Dweda wrthat ti dy hun na *cheith* hi ddim gneud mistar arnat ti.' Arhosodd Josie a moeli'i chlustiau i wrando.

'Elli di glywed rhywbeth, Josie?' Gwrandawodd y ddwy a chlywed lleisiau'n siantio yn y pellter, 'Josie! Josie! Josie!' 'Mae'n swnio fel dy ffrindia!' Clapiodd Josie ei dwylo a chwerthin.

'Mae'n siŵr ei fod o'n braf cael ffrindia fel'na.'

'Hei, rwyt ti wedi 'nal i'n dwyt? Mi waedda i arnat ti pan fydda i allan. Ac mi adawa i'r llyfra ar ôl iti gael eu darllen nhw.'

'Mi fyddan yn rhy anodd i mi.'

'Nonsens! Paid â meddwl rhy chydig ohonot dy hun. Dim ond un ffordd sydd 'na i fynd, a hynny ydi i fyny! Tyd o'na, gad inni chwarae rhyw gêm inni gael symud tipyn.'

Plygodd i lawr a neidiodd Tracey drosti. Ymunodd un neu ddwy o'r merched iau, gan gynnwys merch ddu yr oedd Josie wedi siarad â hi nifer o weithiau yn yr iard. Roedd y rhan fwyaf o'r merched eraill yn troi cefn ar y merched duon, hyd yn oed Sal. Fe ddywedai wrth Josie, 'Dwn i'm pam wyt ti'n trafferthu efo hon'na o gwbl.'

Doedd arnyn nhw ddim eisiau rhoi'r gorau i chwarae pan oedd eu hanner awr ar ben. Bu'n hwyl tra parodd o.

'Mi fyddai'n braf cael aros allan,' meddai Tracey, gan edrych ar yr awyr, 'am hanner awr arall.'

Ond doedd dim gobaith am hynny. Roedd raid i Josie, hyd yn oed, wrth glywed yr allwedd yn troi yn y clo y tu ôl iddyn nhw i'w cloi i mewn, ei gwasgu'i hun yn dynn a'i gorfodi'i hun i beidio â meddwl, *Rydw i'n cael fy nghloi i mewn, rydw i wedi 'nal y tu mewn i'r pedair wal 'ma, fedra i ddim cerdded allan trwy'r drws.* Buasai dim ond cael cerdded ar hyd stryd gyffredin efo ceir a bysiau'n taranu heibio yn ymddangos yn brofiad amheuthun. A beth am y traeth, a sŵn y môr! Yn ystod y nos breuddwydiai ei bod yn rhedeg ar hyd tywod euraid a ymestynnai yn bell bell nes diflannu i'r awyr lydan las.

'Faint o ddyddiau s'gen ti ar ôl?' gofynnodd Tracey.

'Dwn i'm,' meddai Josie'n gelwyddog, er ei bod yn cyfri'r dyddiau fel pawb arall. *Os* câi fynd allan yn gynt am ymddygiad da—ond oedd hi wedi ymddwyn yn dda, neu tybed fyddai'r Llygaid Busneslyd yn meddwl yn wahanol?—dylai gael mynd fore dydd Mercher, neu ddydd Iau fan bellaf.

Dydd Mawrth oedd hi heddiw.

'Mae'n bosib y cei di fynd fory on'd ydi?'

'Dwi'n amau'n fawr.'

'Ond mae'n bosib.'

Cerddodd Tracey'n ôl ac ymlaen ar hyd y gell, gan gyffwrdd y wal efo'i llaw bob tro cyn troi. Arhosodd wrth y basn molchi ac edrych i'r drych â'r crac ynddo gan wneud stumiau arni'i hun. Yna tynnodd ei hesgid i ffwrdd a tharo'r drych yn galed efo hi nes bod mwy a mwy o graciau'n hollti ar draws y gwydr. Llusgodd Josie hi i ffwrdd.

'Paid â gneud petha fel'na, Tracey. Paid ag ildio!'

Eisteddodd Tracey ar y gwely efo Josie wrth ei hochr. 'Dwi ddim isio ildio ond fedra i ddim peidio, *fedra i ddim*.' A dechreuodd snwffian crio, ac yna crio'n uchel ac angerddol a gwneud sŵn fel ci'n griddfan. Siglodd Josie hi yn ei breichiau a cheisio'i thawelu, ond aeth ymlaen ac ymlaen.

Agorodd y drws. Y Llygaid Busneslyd oedd yno, efo dwy warder arall y tu ôl iddi. Teimlai Josie gryndod yn mynd trwy holl gorff Tracey.

'Rydan ni wedi dod i fynd â chdi i fyny'r grisiau, Tracey. Er dy les dy hun. Well iti gyd-dynnu efo ni a dod yn dawel.'

Ond wnâi Tracey ddim cydweithredu, ac ni wnâi Josie chwaith. 'Dydw i ddim yn mynd i Dŷ'r Muppets,' sgrechiodd Tracey, a gwaeddodd Josie hithau, gan sefyll o'i blaen, 'Dydach chi *ddim* yn mynd â hi, dydach chi *ddim!* Mi wnewch hi'n waeth os gwnewch chi hynny.'

'Well iti wylio dy gama ne mi awn ni â chditha hefyd,' meddai'r Llygaid Busneslyd.

'Triwch chi neud hynny ac mi wna i greu'r helynt fwya welsoch chi 'rioed unwaith yr a' i allan o 'ma!' meddai Josie, a oedd bellach yn methu ffrwyno'i thymer. 'Dwi'n gallach ganwaith na chi, ac mi wyddoch hynny'n iawn!'

Am funud meddyliodd fod y warder yn mynd i'w tharo, a gobeithiai y gwnâi er mwyn iddi cael codi helynt go-iawn. Ond camodd y Llygaid Busneslyd yn ôl a gadael i'r ddwy swyddog arall fynd â Josie oddi yno tra cymerodd hi afael ar Tracey a oedd erbyn hyn wedi ymollwng ac yn swnian fel anifail wedi'i glwyfo. Llusgwyd hi allan i'r cyntedd.

'Paid ti â gadael iddyn nhw gael y gora arnat ti, Tracey,' gwaeddodd Josie ar ei hôl. 'Cofia gadw rheolaeth arnat dy hun. Mi sgwenna i—wna i ddim anghofio, dwi'n addo.'

Gollyngodd y swyddogion Josie, gan ddweud wrthi am dawelu. 'Paid *ti* â dechrau mynd i sterics!' Yna cloesant y drws arni ar ei phen ei hun yn y gell.

Gorweddodd ar ei gwely. Mwy na thebyg ei bod wedi difetha pob gobaith am gael mynd allan yn gynt ond doedd hi'n malio dim am hynny. Berwai ei thymer. Teimlai mor ddiallu. Ond fyddai hi ddim yn ddiallu am weddill ei bywyd, ac wrth ei hatgoffa'i hun o hynny, tawelodd rywfaint. Yn ystod y nosweithiau hir a phoenus, a hithau'n gorwedd ar ei gwely yn methu cysgu, cafodd gyfle i feddwl cryn dipyn, a gwnaeth benderfyniad. Byddai'n astudio'r Gyfraith yn y Brifysgol. Byddai'n fwy gwerthfawr na Gwleidyddiaeth a Hanes oherwydd fe fyddai ganddi wedyn sylfaen da i'w galluogi i helpu pobl, ac i geisio newid pethau. 'Mae gen ti isio newid y byd, Josie,' meddai Rod wrthi unwaith, gan dynnu'i choes. Doedd hi ddim mor naïf â dychmygu fod hynny'n bosib ond roedd yn credu y byddai modd i rywun newid darnau bach ohono petai'n ymdrechu. A'r darnau bach sy'n bwysig yn y pen draw, pan roir nhw wrth ei gilydd.

172

Roedd hi wedi ymlâdd erbyn hyn a dechreuodd grio dros Tracey, ond wylai'n ddistaw, a thybiai'r swyddogion a âi ar hyd y cyntedd fod y gell yn dawel o'r diwedd.

*　　*　　*　　*

Fe'i deffrowyd yn gynnar y bore wedyn—ond nid gan y Llygaid Busneslyd. Roedd wedi bod ar ei phen ei hun yn ystod y deuddeng awr diwethaf; ni chaniatawyd iddi fynd allan i'r iard, ac fe ddaethant â'i swper iddi i'r gell.

Cododd ei hun ar ei heistedd ac edrych ar ei wats. Roedd yn chwech. Teimlai'n gysglyd, ac meddai, 'Ydi hi'n amser glanhau'r asgell yma?' Bob bore caent ddyletswyddau glanhau.

'Nac ydi. Rwyt ti'n cael mynd allan.'

'*Allan?*' Roedd Josie'n awr yn hollol effro ac eisteddai'n syth i fyny. 'Mae hynny'n amhosib. Mae'n rhaid eich bod wedi gneud camgymeriad.'

'Na, dydw i ddim.' Roedd y warder hon yn un o'r rhai ffeindia. Roedd hi'n iengach hefyd, heb galedu cymaint. 'Felly gwisga amdanat a phacia dy betha.'

'Mae'n rhaid eich bod am gael gwared â fi?' Gwenodd Josie a dechrau rhwygo'i phyjamas oddi amdani. Roedd hi mor gyffrous fel y teimlai fod ganddi bum bys ar bob llaw. Roedd hi'n mynd allan. *Allan.* Oedd hynny'n bosib? Roedd hi'n mynd i gerdded i lawr y stryd unwaith eto! Roedd wedi colli pwysau; teimlai ei sgert yn llac amdani. 'Mae'n siŵr fod rhywun fel fi'n dipyn o niwsans iddyn nhw.'

'Mi allet ddweud hynny. A dwi'n meddwl eu bod am gael gwared â'r gwersyll y tu allan i'r giatiau hefyd. Mae'n tynnu lot o sylw. Roedd 'na griw teledu yno ddoe.'

173

Gosododd Josie'r chwe llyfr oedd ganddi yn dwr efo'i gilydd. Prin roedd hi wedi edrych arnyn nhw. 'Allech chi—ydach chi'n meddwl allech chi ofalu fod Tracey'n cael y rhain?'

'Mi wna i.'

'Diolch. Ac oes gynnoch chi feiro ga i 'i benthyg?' Rhoes y warder feiro iddi, ac ysgrifennodd Josie y tu mewn i nofel Alice Walker, 'Tracey, mi gofiaf amdanat. Ac mi sgwennaf. Cymer ofal! Llawer o gariad, Josie.'

Cododd ei bag a dilyn y warder ar hyd y cyntedd. Roedd y celloedd yn dawel, gan fod y rhan fwyaf o'r merched yn cysgu'r adeg yma o'r bore, ar ôl noson ddigon cythryblus. Chafodd hi ddim cyfle i ffarwelio â Sal a'r lleill, ond fel'na roedd hi yn y carchar, debyg.

Yn y Dderbynfa aeth trwy'r un rigmarôl ag wrth ddod i mewn, ond ffordd chwith. Rhoddwyd hi dan ofal warder arall, a'i harchwilio'n gorfforol, gwisgo'n ôl, ac fe aethant trwy'i holl bethau fesul un, a hithau'n llofnodi amdanynt. Ar y diwedd, rhoesant ei beiro a'i llyfr nodiadau rhad yn ôl iddi.

'Pam na cheith rhywun fynd â rhwbath i sgwennu arno yn y gell?'

'Rheolau.'

'Pwy sy'n gneud y rheola?'

'Nid fi.'

Rhoddwyd rhif i Josie a dywedwyd wrthi am aros wrth y giât ar y ffordd allan.

'Pam rhif? Be sy o'i le ar fy enw i? O, peidiwch â deud wrtha i—rheola!'

'Ffwrdd ti 'ta! A gobeithio na welwn ni monot ti yma eto.'

Mi wnewch! meddai Josie wrthi'i hun. Dywedodd ei rhif. Cafodd fynd drwodd. Roedd hi'n rhydd!

*　　　*　　　*　　　*

Wrth fynd allan i awyr oer y bore, teimlai am ychydig funudau ar goll yn lân, fel petai'n hongian rhwng dau fyd. Dychrynodd pan aeth y car cyntaf heibio. Petrusodd wrth y fynedfa, yn awyddus i adael y lle, ac eto heb fod yn barod i gamu'n ôl i'r byd go-iawn. Roedd hi fel petai heb weld ceir a bysiau erioed o'r blaen. Synnai at sŵn a chyflymder y drafnidiaeth. Y tu mewn roedd hi wedi dod i arfer â synau gwahanol. Sŵn bangio. Neu ferched yn sgrechian a chrio.

Roedd plisman yn ei gwylio gyda diddordeb. Symudodd ymlaen, ac wrth gyrraedd y palmant gwelodd wersyll ei ffrindiau. Rhedodd tuag atynt heb unrhyw betruster bellach.

Wrthi'n codi yr oedd Anna, ei gwallt heb ei gribo, a'i llygaid heb agor yn iawn. 'Josie!' meddai, ac o fewn eiliadau roedd y gorchudd polythen wedi'i luchio i'r ochr a breichiau a choesau'n dod i'r golwg a phawb yn cofleidio Josie ac yn chwerthin a chrio bob yn ail.

Y tu ôl iddynt, arhosai Rod. Pan gododd Josie ei llygaid fe'i gwelodd ac aeth i'w freichiau. Cusanodd hi ar dop ei phen a'i gwasgu'n dynn.

'Rwyt titha wedi bod yn gwersylla hefyd?'

'Do.'

'Diolch.'

'Wyt ti'n iawn?'

'Rydw i'n iawn,' meddai. 'Ond dydi'r merched sydd ar ôl yn fan'na ddim.'

175

'Sut brofiad oedd o?' gofynnodd Emma.

'Mi gymrith oesoedd imi ddeud.'

'Mae gynnon ni rwbath i'w ddeud wrthat *ti*, Josie,' meddai Anna. 'Rhwbath gwerth chweil!'

'Nid—!'

'Ia! Fe glywson ni ddoe. Maen nhw'n mynd i gynnal ymchwiliad cyhoeddus.'

Clapiodd pawb eu dwylo a chofleidio a dawnsio o gwmpas y palmant a bu'n rhaid i'r plisman ar ddylet-swydd symud i'r ochr i'w hosgoi. Prin y gallai Josie gredu'i chlustiau. Teimlai y dylai ymateb yn fwy brwd. Ond ar y funud roedd wedi'i tharo'n fud. Dim ond budd-ugoliaeth rannol oedd hi, wrth gwrs, a gwyddai na ddylent golli'u pennau a meddwl eu bod wedi ennill yn glir. Oherwydd ar ôl yr ymchwiliad cyhoeddus fe allai'r orsaf niwclear yn hawdd gael rhwydd hynt.

'Mae'n newydd gwych, on'd ydi?' meddai Emma.

Nodiodd Josie. 'Ydi mae'n grêt. Mae'r cyfan wedi bod yn werth chweil.'

'Y cyfan?' gofynnodd Rod.

Mynd i'r carchar, dyna oedd ar ei feddwl. Nodiodd Josie. 'Ydi, y cyfan.' A rŵan roedd raid iddi gael gyrru neges at ei mam.

'Wedyn mi gawn ni glamp o frecwast mewn caffi cynnes efo bwcedeidia o goffi!' meddai Anna.

Chwarddodd Josie wrth feddwl am goffi poeth ac wyau a thôst. Roedd rhyw fân bleserau felly wedi chwyddo'n bethau mawr.

Aeth Rod efo hi i ffônio tra cliriai'r lleill eu pethau. Cerddasant efo'u breichiau am ganol ei gilydd a'u pennau'n agos.

'Fydd dy dad ddim yn falch o gael yr ymholiad.'

Sgrytiodd Rod. 'Dwi'n meddwl ei bod hi'n deg cael un. Er nad ydw i ddim yn siŵr fy hun be 'di 'marn i am bŵer niwclear! Mae'n siŵr 'mod i'n un o'r rhai sydd ar y ffens yn trio penderfynu pa ochr i'w chymryd.'

'Ond rwyt ti wedi newid rhywfaint ar dy farn on'd o? Tyd o'na—cyfaddefa'r peth!' meddai Josie, ond yn dawelach nag y buasai wedi dweud hynny o'r blaen.

'Do, dwi wedi symud 'y nhir.' Gwenodd.

'Mae'n bwysig bod yn ddigon hyblyg i newid dy feddwl.'

'Mae'n siŵr dy fod ti'n iawn.' Arhosodd i'w chusanu.

Ymddangosai'n amhosib y gallen nhw ffraeo byth eto, meddyliai, ond mae'n siŵr y gwnaent. Ond fe allen nhw bob amser ddod yn ffrindiau wedyn. Pwy wyddai beth oedd yn eu hwynebu yn y dyfodol? Doedd hynny ddim yn cyfri ar y funud. Y presennol oedd yn bwysig.

Aeth i'r caban ffôn; arhosodd ef y tu allan yn ei gwylio trwy'r gwydr fel petai arno ofn iddi ddiflannu mewn cwmwl o fwg. Taflodd gusan ati â'i law. Deialodd hi rif yr Hunters ac wrth sefyll yno'n disgwyl, gan wenu ar Rod, meddyliodd am Tracey. Roedd y byd yn llanast, fel y dywedodd wrth Brian a Rachel, gan beri iddyn nhw chwerthin, ac roedd cymaint angen ei wneud fel ei bod yn anodd gwybod ble i ddechrau. Ond y peth pwysig oedd dechrau yn rhywle. Dyna be fuasai'i thad wedi'i ddweud. Gwenodd wrth feddwl amdano, ac eto roedd 'na ryw fud boen yn ei chalon yr un pryd. Roedd pleser a phoen yn aml wedi'u plethu ynghyd.

'Helô.' Roedd Mrs Hunter yn ateb y ffôn.

'Helô,' meddai Josie.

'Josie! Sut wyt ti?'

'Dwi'n iawn diolch, Mrs Hunter.'

'Mae'n braf clywed dy lais di unwaith eto. Alla i roi neges i dy fam?'

'Ia, plîs. Jyst dwedwch wrthi 'mod i allan—a 'mod i'n dŵad adre.'